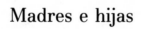
Madres e hijas

Edición a cargo de
Laura Freixas

Madres e hijas

EDITORIAL ANAGRAMA

BARCELONA

Diseño de la colección:
Julio Vivas
Ilustración: «Leyendo un cuento», Jacques Joseph Tissot,
 c. 1878-79, colección particular

Primera edición: enero 1996
Segunda edición: febrero 1996
Tercera edición: marzo 1996
Cuarta edición: abril 1996
Quinta edición: abril 1996
Sexta edición: mayo 1996
Séptima edición: junio 1996
Octava edición: septiembre 1996
Novena edición: octubre 1996
Décima edición: enero 1997
Undécima edición: octubre 1997
Duodécima edición: marzo 1999
Decimotercera edición: septiembre 2000

ISBN: 84-339-1025-6
Depósito Legal: B. 37480-2000

Printed in Spain

Liberduplex, S.L., Constitució, 19, 08014 Barcelona

ÍNDICE

Los relatos que forman el libro son inéditos, excepto los siguientes:

«De su ventana a la mía», de Carmen Martín Gaite, fue publicado en *Desde la ventana* (Espasa-Calpe, Madrid, 1987).

«Chinina Migone», de Rosa Chacel, forma parte del libro *Sobre el piélago* (Torremozas, Madrid, 1992).

«Al colegio», de Carmen Laforet, figura en la obra *La niña* (Magisterio Español, Madrid, 1970).

«Cuaderno para cuentas», de Ana María Matute, procede del libro *Algunos muchachos* (Destino, Barcelona, 1963).

Laura Freixas

Prólogo

Laura Freixas (Barcelona, 1958) fundó y dirigió la colección literaria «El espejo de tinta» en la editorial Grijalbo (1987-1995). Es colaboradora de *La Vanguardia* y *El País,* así como de *El Urogallo, Revista de' Occidente, Claves* y otras revistas culturales. Ha traducido los diarios de Virginia Woolf, y prologado obras de Simone de Beauvoir, Tatiana Tolstói y Dorothy Parker. En 1988 publicó un libro de relatos, *El asesino en la muñeca,* en esta misma colección. Actualmente prepara una novela.

Cuando nació mi hija, en abril de 1994, una amiga me regaló un libro: una antología inglesa, de la editorial feminista Virago, titulada *Close Company: Stories of Mothers and Daughters* («Proximidad. Historias de madres e hijas»).[1] Me apasionó: por su calidad literaria, y también porque a medida que leía, me iba dando cuenta de una paradoja: el contraste entre la importancia, la riqueza, la universalidad de la relación madre-hija, y su escasísima presencia en la literatura.

Que esa impresión no anda desencaminada se comprueba consultando cualquier diccionario de temas y motivos literarios. Las relaciones padre-hijo, madre-hijo, padre-hija, son el tema central de innumerables obras, desde la *Orestíada* hasta *Eugénie Grandet, Padres e hijos, Los hermanos Karamazov* o *Washington Square,* pasando por *Hamlet* y *El rey Lear.* En cambio, son llamativamente escasas las obras que ponen en escena a madres e hijas, y todas muy recientes. *Sido,* de Colette (1901), es la veterana; las demás tienen sólo unos decenios: *Una muerte muy dulce* de Simone de Beauvoir, *Una mujer* de Annie Ernaux, *Entre mujeres* de Waltraud Anna Mitgutsch, *La mala hija* de Carla Cerati, *La pianista* de

---

1. Christine Park y Caroline Heaton (eds.): *Close Company: Stories of Mothers and Daughters,* Virago, Londres, 1987.

Elfriede Jelinek, *El club de la buena estrella* de Amy Tan, *Paula* de Isabel Allende, *Donde el corazón te lleve* de Susanna Tamaro...

No sorprenderá a nadie constatar que los autores de estos textos son, sin excepción, autoras. Es lógico que la aparición del tema madre-hija esté asociado al ingreso, en números significativos, de las mujeres en la escena literaria. Si acaso habría que preguntarse por qué no apareció antes. Seguramente, porque sólo cuando su derecho a escribir estuvo bien establecido, empezaron a aventurarse las mujeres a tratar temas que no forman parte de la tradición recibida.

La paradoja que antes mencionaba es la que me ha llevado a proponer, a un editor siempre entusiasta, la publicación de un libro español sobre el mismo tema. A fin de abarcar un espectro generacional amplio, hemos optado por incluir tanto relatos ya publicados (los de Rosa Chacel, Carmen Laforet, Carmen Martín Gaite y Ana María Matute) como inéditos (escritos expresamente para este libro). Y a fin de que la extensión total del volumen no fuera desaforada, nos hemos limitado a autoras españolas que escriben en castellano.

Si esta antología es polémica, como espero (aunque sólo sea para comprobar que puede haber, en este país, otra polémica literaria que la de saber a quién le dan tal o cual premio), lo será, es de suponer, por dos motivos.

El primero es el concepto mismo de libro impulsado por un editor: lo que se llama (casi siempre con retintín) *de encargo.* Quienes lo rechazan querrían, en nombre de la pureza del artista, confinar al editor al mero papel de intermediario neutro entre el autor y el público. Pero ello responde a una imagen del arte idealizada y ahistórica, olvidando que la creación ha estado siempre condicionada, de un modo u otro, por mecenas, promotores, protectores, críticos, público... Condicionada, pero también estimulada: ¿habrá que recordar que las «Variaciones Goldberg» y la Capilla Sixtina son obras de encargo? De todos modos, frente a la hoja o el lienzo en blanco, el artista es libre, responsable último de su obra.

La otra objeción previsible afecta al *sexismo* de una antología que sólo incluye relatos de mujeres, y merece un comentario más extenso.

Es fácil observar que la mera expresión *literatura femenina* pone incómodo a todo el mundo. Los varones parecen sospechar que las mujeres se escudan en ella para obtener algún privilegio. A menudo se oye murmurar que a calidad igual, es más fácil publicar, o ganar un premio, para una mujer que para un hombre. Lo cual probablemente es cierto, y vale la pena preguntarse por qué. De entrada, una mujer se promociona mejor, por la sencilla razón de que las escritoras, en contra de lo que a veces se dice, son aún *rara avis* entre los escritores. Por ejemplo, cuando hace algunos meses se presentó una nueva colección de narrativa de la que dio la casualidad que los tres primeros títulos estaban firmados por mujeres, todos los periódicos que se hicieron eco de la presentación destacaron ese hecho en titulares.[1]

Pero no sólo en cuanto a promoción las mujeres *funcionan* mejor: también, por regla general, en cuanto a ventas. ¿Por qué? Sabemos que la mayor parte de los lectores son lectoras,[2] y las lectoras muestran un interés especial por las autoras. Por su persona, en tanto que mujeres que se han hecho un lugar en un mundo tradicio-

1. «La cruda realidad vista por tres mujeres» (*El Mundo*, 3-11-94), «Planeta inicia la colección Nueva Narrativa con novelas de mujeres» (*Diario 16*, 4-11-94), «Tres escritoras abren la colección Nueva Narrativa de Planeta» (*El País*, 4-11-94). Inversamente, en enero de 1993 tuvo lugar en Madrid un «Encuentro internacional sobre la novela en Europa», que reunió a veinte escritores. El hecho de que todos ellos fuesen varones no suscitó el menor comentario.

2. Según una estadística de 1993, son aficionados a la lectura, en España, el 38% de varones y el 43% de mujeres. La diferencia es mayor entre los jóvenes: en la franja de edad 18-29 años, son lectores el 38% de los varones y el 58% de las mujeres (*El Mundo*, 28 de mayo de 1995).

nalmente masculino, y por su obra, porque refleja vivencias más cercanas a las suyas. De modo que hablar de *literatura femenina* –textos con rasgos específicos que permiten a las mujeres reconocerse a sí mismas– no resultaría descabellado. Me apresuro a recalcar, antes de seguir adelante, que no estoy hablando, para bien o para mal, de calidad, sino de características.

Pero parece que a las escritoras tampoco les gusta que se les aplique esa etiqueta. Se ha convertido en ritual, cuando alguna publica un libro, la pregunta del entrevistador: ¿Cree usted que puede hablarse de una literatura femenina? y la erizada réplica de la interrogada, afirmando que literatura no hay más que una, o que sólo hay buenas y malas novelas.

Tal respuesta puede parecer desconcertante. ¿Quién habló de calidad? ¿Por qué no podría hablarse de una literatura femenina con la misma ecuanimidad con que se habla, sin que ello implique juicio de valor alguno, de literatura inglesa, novela histórica o tradición literaria judía? Quizá la clave puede encontrarse en alguna frase cazada al vuelo, de esas que sin premeditación revelan algo que está en la mente de casi todos, y que por no meterse en camisa de once varas, todo el mundo se guarda muy mucho de decir y aún más de escribir. Una frase, por ejemplo, como ésta, entresacada de una crítica publicada en un prestigioso suplemento literario: comentando una novela escrita por una mujer, se afirma que «su prosa bordea siempre la línea semiborrada que separa la buena literatura de lo que suele llamarse literatura de mujeres».[1]

Quizá es por miedo a enfrentarse a prejuicios de ese estilo –ajenos o propios– por lo que se habla tan poco de literatura femenina, o se habla sólo para negar que exista. Se da por supuesto que las mujeres ya participan en la creación literaria en la misma proporción que los hom-

1. *Diario 16*, 10-9-90.

bres; que si todavía no es así, la irresistible corriente del progreso se encargará de que lo sea dentro de poco; y que el tema no da para más. Eso es olvidar algunos fenómenos bastante llamativos de nuestro mundo editorial. De entrada, la irrupción de las mujeres en las letras, aunque notable a partir de la posguerra (1944: premio Nadal a Carmen Laforet), está muy lejos del 50%. No hay estadísticas, pero basta con echar un vistazo a la prensa especializada o los catálogos. Tomemos por ejemplo una colección tan representativa de la llamada *nueva narrativa española* como esta que el/la lector/a tiene en las manos, «Narrativas hispánicas» de Anagrama. Si nos entretenemos en contar el número de libros firmados por mujeres, hallaremos que sobre los cien primeros títulos (1983-1990), no hay sino dieciséis. Las mujeres están muy presentes en algunos campos, como el género erótico, mientras que escasean en otros: el ensayo, la crítica... Dominan también la biografía: son sujeto, y autoras, de la mayor parte de las que se publican.

¿Qué puede demostrar todo esto? Por lo pronto una cosa: que la visión según la cual las mujeres se van incorporando, como sujetos neutros, a un mundo editorial también neutro, es demasiado simplista. Como escritoras, las mujeres siempre han tenido una historia propia[1] y en gran parte, la siguen teniendo.

La pregunta es, claro está, si además de una historia propia, se puede hablar de una literatura propia. La mera sugerencia de que así sea choca con la convicción, tan

---

1. Son críticas inglesas y norteamericanas quienes han estudiado esta historia de forma más sistemática: véanse los ensayos de Ellen Moers (*Literary Women,* The Women's Press, Londres, 1978), Elaine Showalter (*A Literature of Their Own [British Women Novelists from Brontë to Lessing],* Princeton University Press, Princeton, 1977 y Virago, Londres, 1978) y Sandra Gilbert y Susan Gubar (*The Madwoman in the Attic* y *No Man's Land,* Yale University Press, New Haven y Londres, 1979 y 1988 respectivamente).

extendida hoy, de que el arte es una creación puramente individual. Pero esa misma convicción revela a qué momento histórico pertenecemos: el individualismo posmoderno.

Que las circunstancias de la vida de las mujeres han condicionado su producción literaria, parece fácilmente demostrable. La escasa educación y la dificultad de publicar las han empujado a elegir ciertos géneros, como el epistolario, el diario íntimo o la poesía lírica, con preferencia al ensayo o el teatro. Las experiencias a las que tienen acceso y las que les están vedadas condicionan también la elección de sus temas: pueden relatar la vida en los salones mejor que una batalla. Si describen ésta lo harán (al igual que un escritor varón que retratase una relación madre-hija) con más documentación o fantasía que experiencia; el resultado es distinto.

Intentando ir más allá de esas obviedades, se han querido discernir eventuales rasgos propios de la literatura escrita por mujeres. Una corriente francesa, de orientación psicoanalítica, habla de *écriture féminine,* aunque no siempre, y no sólo, idéntica a escritura de mujeres: sus características se encontrarían en Colette o en Clarice Lispector, pero también en Genet o Mallarmé. La crítica anglosajona, más pragmática, se ha concentrado en buscar características concretas: relativa ausencia de acontecimientos; presencia de lo cotidiano y concreto; prototipos de heroína distintos de los que hallamos en novelas escritas por varones; ciertos estereotipos en los personajes masculinos; imágenes recurrentes, como el agua o la habitación cerrada; un lenguaje a la vez más inhibido y más matizado que el de los varones, y un largo etcétera.[1]

Aquí nos limitaremos a señalar que existen algunos temas que sólo han sido tratados en literatura exclusivamente (o casi) por escritoras, y sólo lo han sido, por lo

1. Para un resumen conciso y claro del estado de la cuestión, véase Toril Moi: *Teoría literaria feminista,* Cátedra, Madrid, 1988.

16

tanto, desde que las mujeres escriben: por ejemplo, el de ésta antología. El dato es empírico y difícilmente rebatible. Otra cosa son las consecuencias que de él queramos extraer.

Ante todo, y para disipar suspicacias, habría que decir qué consecuencias *no* parecen justificadas. No suscribimos la actitud *políticamente correcta* consistente en medir las obras de arte por el rasero de su representatividad respecto a un sexo, una clase social, una raza, etc. Al contrario, la calidad literaria radica en la capacidad del texto de conferir a lo particular una dimensión universal. Por eso puede interesarnos una novela japonesa o un poema épico medieval, cuyos aspectos anecdóticos tan ajenos nos resultan.

Pero hay otra cosa que buscamos, legítimamente, en los libros: ver reflejadas nuestras propias vivencias, incluidas las más particulares. Por eso, en vez de releer eternamente a los clásicos, leemos *también*, quizá inferiores literariamente, las obras de nuestros contemporáneos, de nuestros compatriotas o escritas por alguien de nuestro mismo sexo: porque deseamos ver representadas e interpretadas las circunstancias que compartimos con ellos. Por eso nos parece importante que exista una literatura judía o una literatura homosexual, por mucho que ni Kafka ni Proust puedan definirse *exclusivamente* en función de esas características.

Las circunstancias individuales del autor son sólo un factor más, que se añade a muchos otros, sociales, históricos, lingüísticos... No haría falta decirlo, si no fuera porque periódicamente alguien alega que la simple lectura de un texto no permite adivinar si ha sido escrito por un hombre o una mujer. El argumento es curioso. Parte (aunque sea para negarla) de una visión de la feminidad y la masculinidad como algo determinante, hasta el punto de que ni la sociedad, ni la historia, ni la individualidad pueden siquiera matizarlo. Es decir, la única feminidad que reconocería sería aquella según la cual todas las mujeres, desde una cortesana medieval japonesa hasta una intelectual británica de entreguerras, deberían escribir igual. Si no es así, dictamina, la feminidad en literatura no existe. Una concepción del género sexual, como puede verse, no sólo *esencialista*, sino francamente totalitaria.

Para acabar con la lista de todo lo que esta antología *no* defiende: no defiende una literatura beligerante y exclusivamente femenina o feminista, tan maniquea y artificiosa como toda literatura de tesis. No defiende una mitificación acrítica y victimista de todo lo femenino. Sí defiende un debate abierto sobre la literatura y el género. Sí defiende una aportación propia de las mujeres a la literatura.

Se podrá argumentar que antologías como la presente, y en general cualquier libro o colección exclusivamente femeninos, refuerzan el gueto. El argumento es digno de consideración, pero sopesados los pros y los contras, personalmente creo que ese gueto es, temporalmente, positivo.

Primero, porque fuera de él, las mujeres están muy lejos de ser ciudadanas de pleno derecho. Decíamos antes que en el mundo editorial de aquí y ahora las mujeres *funcionan;* hay que añadir que ese reconocimiento suele ir acompañado de cierta condescendencia (se las llama *las chicas*), y que si están presentes (aunque, insistimos, de forma muy minoritaria) en la publicación y en los premios comerciales, su reconocimiento académico es harina de otro costal. De la Real Academia están prácticamente ausentes, así como de la nómina de los grandes premios institucionales; y como ha mostrado Geraldine Nichols,[1] las historias de la literatura española las ignoran o rebajan sistemáticamente.

1. Geraldine C. Nichols: *Escribir, espacio propio: Laforet, Matute, Moix, Tusquets, Riera y Roig por sí mismas,* Institute for the Study of Ideologies and Literature, Minneapolis, 1989.

18

Segundo, porque así se pone sobre el tapete una cuestión que de otro modo queda debajo de la alfombra: la de los prejuicios. Si por no afrontarlos cara a cara, cerramos la puerta a toda discusión, se cuelan por la ventana, y así nos encontramos con que Emily Dickinson se encerró en su casa no para crear su obra, sino porque era fea; que Frida Kahlo pintaba porque no podía tener hijos, o que por fin hemos dado con el motivo de que se venda tan poco la buena literatura y tanto la mala: y es que quienes compran libros son mujeres.[1]

Ése es el verdadero problema para poder reconocer la existencia de una literatura femenina: la idea implícita, pero muy generalizada, de que la literatura escrita o leída por mujeres es (como todo lo femenino) de segunda categoría. Literatura femenina sería pues equivalente de subliteratura: una prolongación, ligeramente más culta, de las fotonovelas, los culebrones y las revistas de modas. Es lo que ha ocurrido con la palabra *poetisa:* está tan cargada de connotaciones peyorativas (véase por ejemplo el personaje de Aina Cohen, cursi, aduladora, solterona y lesbiana reprimida, en *Mort de dama* de Llorenç Villalonga), que las mujeres que escriben poesía optan hoy, unánimemente, por llamarse a sí mismas *poetas.*

No es de extrañar que muchas escritoras aspiren a una

1. «Recluida en la vivienda de sus padres en Amherst (Massachusetts), [Emily Dickinson] armó a lo largo de su vida una obra que demuestra que la huraña mujer –con complejo de fealdad sin duda– fue una perpetua enamorada del amor» (*ABC*, 20-5-89).

«Frida Kahlo empezó a pintar después de un accidente sufrido en 1925, accidente que le impidió ser madre, que le negó correr tras los hijos» (*ABC*, 24-7-92) (entre paréntesis, no es cierta esa supuesta esterilidad).

«Usted, Umbral, no hace literatura obvia y cornucopística como los galos y los sampedros y los mojigatos. Usted hace escritura, y para apreciar la escritura hay que saber leer. Por eso no vende usted tantos libros como los galos que decíamos, pues que ellos redactan para señoras desocupadas de mediana edad y fortuna media...» (*La Vanguardia*, 10-2-95).

literatura asexuada, como sinónimo de literatura de calidad, de verdadera literatura. Que aspiren a ser consideradas *escritores*. Pero adoptando esa actitud, caemos en la trampa de identificar masculino con universal. Hacemos el juego a los que piensan, como aquel crítico de arte, que «cuando las pintoras pintan bien, ya no son pintoras, son pintores»,[1] silogismo del que se deduce que pintar (o escribir) como mujer es pintar (escribir) mal.

En el fondo, si ocultamos nuestro sexo es porque lo consideramos el segundo. Pero ocultándolo, no estamos rebatiendo ese supuesto carácter inferior: lo estamos aceptando.

Doy las gracias a Ninca Lacruz, por haberme regalado el libro que me sugirió el proyecto. A Agustín Cerezales, Ana Rodríguez-Fischer y Fernando Valls, por haberme ayudado a encontrar algunos textos. A Pedro Sorela, por su crítica radical. A Mempo Giardinelli, por su atenta lectura y sus valiosas sugerencias.

LAURA FREIXAS

1. Citado por Magdalena Mora, «La mujer y las mujeres en la *Revista de Occidente: 1923-1936*», *Revista de Occidente*, número 74-75, julio-agosto de 1987, p. 203.

Rosa Chacel

Chinina Migone

Rosa Chacel (Valladolid, 1898-Madrid, 1994) estudió escultura en la Escuela de Bellas Artes de San Fernando antes de dedicarse a escribir. Su primera novela, *Estación. Ida y vuelta*, apareció en 1930. En 1937 partió hacia el exilio: vivió en Río de Janeiro y Buenos Aires hasta 1974, año en que regresó definitivamente a España. Ha publicado otras novelas: *Teresa* (1941), *Memorias de Leticia Valle* (1945), *La sinrazón* (1960), *Barrio de Maravillas* (1976, Premio de la Crítica), *Acrópolis* (1984), *Ciencias Naturales* (1988)..., así como cuentos (*Sobre el piélago*, 1952, *Ofrenda a una virgen loca*, 1961), ensayo (*La confesión*, 1971), autobiografía (*Desde el amanecer*, 1972) y su diario íntimo (*Alcancía*, 1982). Próximamente aparecerá su correspondencia dirigida a Ana María Moix, Guillermo Carnero y otros, bajo el título *Cartas a jóvenes poetas*. En 1990 obtuvo el premio Castilla y León de las Letras.

Recuerdo que al entrar en la sala, creí sentir que salía. Pero precisamente como esos días de ambiente tan cargado en que se sale a la calle y parece que se entra en algún sitio. Lo que noté fue, sin duda, que algo estaba allí trastornado, que algo alteraba y deprimía la atmósfera de modo insufrible. Yo entraba de puntillas, prevenido de antemano; ya en el vestíbulo me impusieron los chist... chist. Miraba porque, viendo, mi curiosidad esperaba satisfacerme; pero no vi más que un círculo silencioso rodeando al piano, negro lago donde Chinina, cisne, navegaba. Y no era esto suficiente explicación para lo que sentía. No era lo que se veía, sino algo difundido allí que se respiraba. El «aria» que escapaba de sus labios sobre todas las cabezas. El «aria» que secaba las bocas, que doblaba los cuellos de las mujeres al ser expirada por ella en su canto. El límpido clima musical que creara el preludio era entonces oprimido, sacudido por el soplo de aquel «aria». Se sentía a través de las notas, como en la voz del órgano el lento henchirse de su pulmón, que su garganta sorbía nuestra atmósfera hasta asfixiarnos, y después, cuando volvía de ella, llegaba ardiendo de allí donde se estaba fraguando la tormenta. Pasaba a veces, húmeda esperanza, un ligero olor de lágrimas; lo borraba un suspiro, tolvanera que se rizaba sobre nuestras frentes. Los ojos y las luces abrasados

23

huían a esconderse en la umbría de los cortinones. Los hombres disimulaban su inquietud con la seca sonrisa de sus pecheras blancas.

Todo ardía y temblaba; pero ¿quién como yo por aquel «aria» llegó a sentir tan violentas contracciones barométricas? ¡Ser hilo, algo leve que ella arrastrase y envolviese! ¡Ser lámina, donde su suave onda rebotase! Yo extendía mi alma para que cayese en ella lo que de un momento a otro iba a romperse. Pero qué suave lo dejó escapar; con su voz entornada, su cabeza inclinada, tapón de su cuello, cómo por la rendija se escapó el final. ¡Ánima mía! Y no cayó, voló bajo las gotas del aplauso, se perdió entre el chaparrón su último aleteo. Entonces, entre la gente dispersada, corrí por el salón. Todos sentían el alivio de respirar con ritmo propio, libres ya del influjo que tramontaba en su recuerdo. Sólo yo, sin poder reponerme, buscaba las huellas de la pasada conmoción; sabía que en el salón algo tenía que haber quedado resentido por la descarga y me desolaba no encontrar fuera de mí señales de devastación. Pero Chinina buscaba igualmente. Ella, emisora, temblaba aún sobre su tallo. Vibración de copa finísima que sólo siente quien la tiene en la mano. ¡Me esperaba! El vals brotó oportuno para encubrir nuestro impensado abrazo.

Mi mano en su cintura, me asomé a respirar su alma volátil, tan cerca siempre del entreabierto escape. Tan absorbida, tan descuajada de su ser se sentía, que, defendiéndose, escondía su frente entre mi barba. Yo la veía semioculta como la luna entre los cedros.

La vi así tanto tiempo. Un año o dos pasaron en eso. Mi pasión cohibida se petrificaba en aquella actitud. Asomarme a ella, absorto en absorberla. Custodiar, inmovilizar su ser ligero, hacerla pender de mí como la casa del cielo, por su humo. Lo que más de ella quería escapar era lo que yo sujetaba. Mi mirada se enlazaba a la suya aprisionándola, arrancando de todo lo circundante las mínimas divergencias que me mermasen su posesión.

Ni después cuando la tuve conmigo encontré nunca bastante fuerte muralla de insociabilidad para esconderla. Sentía que nos acechaba la banal codicia de la gente. Todos me decían: la tienes ahogada, la estás matando. Pero yo la sacaba de sus límites para darla mi espacio. Y se filtraban en nuestra casa torvas embajadas del mundo que nos dejaban con disimulo explosivas insidias. Me huían, me sorteaban para llegar cuando ella no estuviese defendida. Pero yo aprendía a llevarme la llave, y a entrar como un ladrón para sorprender a los que me robaban. Así sorprendí a las tres rapaces. La habían seducido, y abierto el piano, seis manos forzaban las notas, dos en el teclado y dos en cada brazo de ella. La casa estaba llena; desde la puerta su presión me impedía avanzar. Pensé en abalanzarme a extinguir el foco y temí no llegar con vida. Pero ciego, ya iba atravesándolas. Antes que yo, llegó mi grito ¡Chinina! y los tres pajarracos saltaron, revolotearon espantados. Chinina en cambio, junto al piano, quieta con él, como dos niños acusados: él con la boca abierta y ella cerrada. ¡Tanto...! Nada más infranqueable que la línea en que sus labios se apretaban. Yo vi que no era de allí de donde podría volver a escaparse un leve soplo de lo que contenían. Pero algo pugnaba dentro por forzarlos, algo interiormente impulsado, algo ya desplazado que tenía que difundirse fatalmente pródigo. Mi voz como una mano dura había cerrado su boca en el momento en que subía a ella la frase sagrada, y se agolpaba el divino fluido, se cuajaba en los resquicios de los lagrimales, sin que los párpados pudiesen tragarlo. Por entre ellas —pisoteé sus gritos y sus protestas— llegué a tapar con mis labios los ojos que no podían cerrarse. Ellas hubieran querido tener que defenderla y su despecho se disfrazaba de escándalo. Hasta lo último mi mirada las persiguió, maldiciéndolas.

Después, qué combate en Chinina, qué convalecencia la suya de aquella lucha. Frágil como nunca, temblaba de miedo de perder su secreto, y de impaciencia. Sólo se vio calmada al dar la vida a nuestra hijita. Aquel definitivo desprendimiento la fortificó al dejar en sus manos lo que escapaba de ella.

Nuestra hija templó el diálogo febril, fue el apacible punto de excursión adonde escapábamos de nosotros mismos. Fue aire, ventana que ventiló nuestra interioridad, sin el áspero contraste de lo externo. Renovó nuestra atmósfera con nuestro propio aliento. Ella, midiéndole, aligeró nuestro tiempo. El tiempo sin tiempo de nuestras miradas se fragmentó al desenlazarlas para abarcar a ella. Y pasó insensible en ese juego de mirar a una y mirar a otra, diez años. Entonces, mi juego también fue cambiar de una a otra cabeza la rubia peina que habitaba en el pelo de Chinina. La arrancaba de allí, clara flor de su oscura mata de pelo, y, al transplantarla, se escurría a lo largo de los bucles, sueltos. Sólo se prendía en la fosca copa arbórea de Chinina; allí brillaba, destacaba, como alegre expansión interrumpiendo el grave silencio.

Que éste fuera la más directa herencia de nuestra hija era lo único que nos abrumaba. Porque en Chinina, el silencio era como oscuro abrigo donde su ameno y risueño cuerpo se envolvía. Chinina, que era toda notas, se contenía en su silencio como en el vidrio el aroma. Pero los dos temblábamos por nuestra hija, viéndola prescindir de su palabra. Temíamos que se anulase algo en ella, como un miembro que no se usa. La 'interrogábamos continuamente, para convencernos de que aún sonaba su voz. Y ella nos contestaba asomándose desde su silencio, donde la veíamos discurrir, como un pez en su medio. Lo que nunca pudimos imaginar es que fuera de ella pudiese haber algo donde encontrase continuado su elemento. Creíamos que era preciso distraerla; pero ella atraía, concentraba todo, y cuanto más contacto con las cosas tenía, más denso se hacía su silencio, poblado de algo, sin duda, de lo que ella se alimentaba. Cuántas noches abandonaba en la mesa su cubierto con impaciencia, como si la esperase una urgente tarea nocturna, y aunque tenía el sello inconfundible del insomnio, no se quejaba de él, no habiendo en el suyo, como en todo desvelo infantil, la asechanza del miedo. Seguros de que tampoco padecía precoces inquietudes de muchacha, nos aterraba sentir que el verdadero carácter de sus cavilaciones era el de la fría meditación de un sabio. Chinina decía siempre: ¿qué puede saber ella, qué puede haber oído que la hace pensar tanto? Y ella no había oído nada. Esto fue; no había oído nada, porque Chinina no decía nada. Pero era. Así tenía una noción de todo, tan profunda, tan directa, sin una fórmula interpuesta entre ella y el ser, sino al contrario, con la enorme lente de nuestra trascendencia ante todo secreto. Ella recorría todas nuestras estancias oscuras, con la seguridad que el pequeño búho sigue el vuelo de sus padres.

Tropezamos con su secreto y lo dejamos escapar por no querer creerlo. Ella no había pensado en confesarlo; se había acomodado al más peligroso paraje. Se escapaba al silencio y allí jugaba y se nos escabullía, terreno inaccesible a la vigilancia. Era como un jardín donde la buscábamos y nos perdíamos en sus encrucijadas; pero, al encontrarla, todo desaparecía, para que no pudiésemos saber de dónde venía, por qué caminos había correteado. Su alma, irremediablemente, se iba haciendo sombra, o, más bien, luz dentro de la sombra. Nuestra ciudad, al mismo tiempo, se llenaba de aquellos pálidos acuarios, que eran como agujeros en la vida, no a la mansión de la ánimas, dulces, disecadas flores de pretérito, sino al hervidero de las imágenes, de todo lo bullente, de todo lo que en silencio fraguaba su vitalidad, para un día saltar e invadirnos. Y la dejábamos acercarse a ellos, porque en un principio no parecían temibles. La barraca atraía con su alegre órgano, y era tentador entrar a ver el nuevo invento. La ciencia moderna tenía allí su guarida de hechicera. No pudimos defenderla. Cuando la sacábamos de su mundo al nuestro, después de una pesca tenaz, la encontrábamos inadaptada y la soltábamos otra vez, por no anularla, por no verla deshacerse con nuestro contacto. Entonces nuestro tormento fue un complejo de rencor y de esperanza, como debe ser en los que creen que sus muertos les siguen por la sombra, y viven escarbando en ella con los ojos. Esperar de la fuerza que nos la robaba, humildemente, suplicantes, y no atrevernos a abominar, porque sólo en ello veíamos posible su realización. Prometida a un destino que odiábamos, el vestido nuevo, la línea con que señalábamos en la pared su estatura el día de su cumpleaños, llegaron a ser puntos restados a nuestra propiedad. Durante años miramos el tiempo, sabiendo que en determinado momento se arrojaría en su corriente y no nos quedaría más que la clemencia de los dioses.

Cuando, por fin, la vimos aparecer en la pantalla, sentimos que sólo dejando nuestras vidas podríamos seguirla. Y la teníamos entre nosotros, apretábamos sus manos; pero ella las había abandonado, las olvidaba, hasta hacernos pensar si su calor sería sólo el reflejo de las nuestras y habría volado su alma con todo su dinamismo a aquel espectro que se proyectaba por encima de nosotros, lejos, fuera de nuestro tiempo, aunque veíamos su principio. Como en esa escalera que tanto se sueña doblándose en perfecto zig zag sobre ella misma, y en la que cada tramo arranca del siguiente y le sirve de techo escalonado por la cara inaccesible. Su plano estaba regido por una ley de equilibrio imposible en el nuestro, y era inútil intentar el riesgo. Cuántas veces pensé que era falta de mi decisión aquella distancia y creí sentir el aliento preciso para ir a buscarla; pero me faltaba guía, no me servía de nada toda la ciencia topográfica que ha delimitado una laguna y ciertos círculos, con sus ángeles guardianes y sus letreros indicadores; fácil camino hacia las sombras, en el que al avanzar se las va hallando menos temibles, purgadas, esterilizadas, dispuestas a hacernos sitio en el gran banco del pasado, a incluirnos en él con cortés acogida. En cambio, ¡cómo forzar la puerta! Su silencio defendía la labor de su alma como la puerta de la cabina aísla al operador. Algo dentro se movía, maniobraba con luz. Un gesto a veces, una actitud de su mano, era una rendija luminosa; pero, para mirar al foco, era preciso volver la espalda a la proyección; así, para verla centrífuga, proyectada siempre lejos de sí misma, era preciso no mirarla. Acaso su mirada era lo que nos hacía huir, salvar nuestro cuerpo como ante una avalancha. Inútil intentar entrar por la puerta de donde todo sale. Con terminante crueldad se nos aislaba, se nos incomunicaba con gesto definitivo. Poco a poco nos recluimos otra vez, nos sostuvimos uno en otro. Nuestras mentes repasaron la fidelidad mutua, como una superficie impecable, sin un obstáculo en su continuidad. Hubiera sido imposible en aquella clara ruta nuestra semejante extravío, ¿a qué abismo no hubiera yo bajado por Chinina?, ya que si ella hubiese llegado a escapar no hubiera ido más allá de donde yo pudiese ir a buscarla. Nos refugiamos en el rememorar, deteniéndonos en nuestras consonancias, deleitándonos en nuestro recinto, del que nuestra hija emergía como caprichoso remate irregular; como ese moño arbitrario con que el arte barroco termina sus conjuntos, que es algo así como ramas arrancadas de todos los ritmos, reunidas en ramo empenachado sin solución de continuidad. Así ella parecía haber rebuscado en nuestra estética y haber aglomerado en el ramo informulable de su mímica las genialidades de su elección. A veces, creíamos llegar a descifrar equivalencias con las que esperábamos componer una clave; pero todo cambiaba con demasiada velocidad para nuestra atención. Veíamos la vida volcándose en la pantalla, y las imágenes caían por el chorro de luz saltando estrelladas como pompas. Nunca pudimos distinguir el juego de la lucha. A un tiempo llovían las más desgarradas muecas y las más plácidas risas. El cielo culebreaba de balas como cohetes, que hacían de la noche verbena de explosiones. A veces se cortaba la cinta, y un momento de silencio ciego era como una irrupción de la muerte. Al reanudarse, corrían primaverales arroyos de lágrimas que se secaban con los rayos de su propio brillo. Pasaron las más increíbles, las más disformes fisonomías de años, como jamás quisiéramos haberlas visto. Nuestros ojos se mancharon de su tragedia indeleblemente, para que no olvidemos jamás nuestra culpabilidad de testigos. De tal modo nuestras almas fueron turbadas por ellas que rehusaban después todo naciente optimismo, temían que cesase el vértigo y fuera preciso enfrontar su recuerdo. Y así fue. El turbión empezó a remansarse en cauces definidos y el descenso de la temperatura produjo un brusco deshojarse de todo. Se hicieron visibles los esqueletos, y aun sobre estos mismos se precipitaron los podadores. Fue una feroz manía de cortar, de rematar lo muerto, como dudando de la eficacia de la Definitiva. Hasta lo viviente empezó a expandirse con mesura. En el parco vocabulario de nuestra hija, la palabra forma perdió su plural. Ante su espejo fue recortando hasta dejar en un puro esquema su indumento, y hubiera recortado toda sinuosidad de su cuerpo como exceso inadaptable a la forma preconcebida. De la pantalla empezó a huir el paisaje; las perspectivas quedaron encerradas en los duros trazados urbanos. Sentimos algo, como el terror de la guillotina, cuando supimos que ya nunca la nueva estética consentiría que ondease en el fondo de un film la blanda cabellera del Vesubio. Y yo afrontaba aquellas inevitables privaciones; pero Chinina se resentía de ellas. Aunque la engañaba con falsa esperanza, la amargura se condensaba en su corazón cuando veía que nuestra hija miraba con desprecio aquel desenvolvimiento suyo que la acercaba a la madre. La tristeza llegó a tener en su cara, como en la de Niobé, la expresión de cien dolores superpuestos. Cada decisión de nuestra hija la mataba una hija.

Temíamos de ella y por ella. El día decisivo, al sentir como a diario el portazo de su marcha, nuestro temor no se fue con ella, sino al contrario, se concentró en nosotros presintiendo que estaba muy cerca la amenaza. En su cuarto se sentía la presencia sin aliento de algo muerto; pero sin sangre, el grito no escapaba, falto de su incitación. En el cajón, desparramados como monedas incontables, se anillaban sus cabellos cortados.

Tan imposible como volver a atarlos fue sujetar las mil arterias sentimentales por donde el alma de Chinina se disipaba. En sus lágrimas, inevitablemente, se escapó el último jugo de su vida. No pude contener la herida, huía de sí misma por todas sus raíces. Su cuerpo se endureció entre mis brazos, como un ramaje exhausto, definitivamente desangrado.

Ahora busco a mi hija, con mi rencor y mi ternura; porque ¿dónde sino en ella puedo ponerlos? Pero de tanto encontrarla ya no la conozco. Sus piernas suben ante mí cien veces a los estribos; todos los estudiantes llevan su bufanda, y la música que ella silbaba suena en todas las calles. Al acercarse su imagen, el odio grita en mi alma su alerta, y cuando pasa, mi corazón querría irse con ella. Pero no le dejo, y como un perro se ahorca en su cadena.

Carmen Laforet

Al colegio

Carmen Laforet (Barcelona, 1921) alcanzó la fama con su primera novela, *Nada,* galardonada con el Premio Nadal en 1944, año de su creación. Posteriormente ha publicado las novelas *La isla y los demonios* (1952), *La mujer nueva* (1955, Premio Menorca) y *La insolación* (1963), así como los cuentos y novelas cortas reunidos en *La muerte* (1952), *La llamada* (1954) y *La niña* (1970) y el libro de viajes *Paralelo 35* (1967).

Vamos cogidas de la mano en la mañana. Hace fresco y el aire está sucio de niebla. Las calles están húmedas. Es muy temprano.

Yo me he quitado el guante para sentir la mano de la niña en mi mano y me es infinitamente tierno este contacto, tan agradable, tan amical, que la estrecho un poquito emocionada. Su propietaria vuelve hacia mí la cabeza, y con el rabillo de los ojos me sonríe. Sé perfectamente la importancia de este apretón, sabe que yo estoy con ella y que somos más amigas hoy que otro día cualquiera.

Viene un aire vivo y empieza a romper la niebla. A todos los árboles de la calle se les caen las hojas, y durante unos segundos corremos debajo de una lenta lluvia de color tabaco.

—Es muy tarde; vamos.

—Vamos, vamos.

Pasamos corriendo delante de una fila de taxis parados, huyendo de la tentación. La niña y yo sabemos que las pocas veces que salimos juntas casi nunca dejo de coger un taxi. A ella le gusta; pero, a decir verdad, no es por alegrarla por lo que lo hago; es, sencillamente, que cuando salgo de casa con la niña tengo la sensación de que emprendo un viaje muy largo. Cuando medito una de estas escapadas, uno de estos paseos, me parece divertido ver la chispa alegre que se le enciende a ella en los ojos, y

35

pienso que me gusta infinitamente salir con mi hijita mayor y oírla charlar; que la llevaré de paseo al parque, que le iré enseñando, como el padre de la buena Juanita, los nombres de las flores; que jugaré con ella, que nos reiremos, ya que es tan graciosa, y que, al final, compraremos barquillos –como hago cuando voy con ella– y nos los comeremos alegremente.

Luego resulta que la niña empieza a charlar mucho antes de que salgamos de casa, que hay que peinarla y hacerle las trenzas (que salen pequeñas y retorcidas, como dos rabitos dorados debajo del gorro) y cambiarle el traje, cuando ya está vestida, porque se tiró encima un frasco de leche condensada, y cortarle las uñas, porque al meterle las manoplas me doy cuenta de que han crecido... Y cuando salimos a la calle, yo, su madre, estoy casi tan cansada como el día en que la puse en el mundo... Exhausta, con un abrigo que me cuelga como un manto; con los labios sin pintar (porque a última hora me olvidé de eso), voy andando casi arrastrada por ella, por su increíble energía, por los infinitos «porqués» de su conversación.

–Mira, un taxi. –Éste es mi grito de salvación y de hundimiento cuando voy con la niña... Un taxi.

Una vez sentada dentro, se me desvanece siempre aquella perspectiva de pájaros y flores y lecciones de la buena Juanita, y doy la dirección de casa de las abuelitas, un lugar concreto donde sé que todos seremos felices: la niña y las abuelas, charlando, y yo, fumando un cigarrillo, solitaria y en paz.

Pero hoy, esta mañana fría, en que tenemos más prisa que nunca, la niña y yo pasamos de largo delante de la fila tentadora de autos parados. Por primera vez en la vida vamos al colegio... Al colegio, le digo, no se puede ir en taxi. Hay que correr un poco por las calles, hay que tomar el metro, hay que caminar luego, en un sitio determinado, a un autobús... Es que yo he escogido un colegio muy lejano para mi niña, ésa es la verdad; un colegio que me gusta mucho, pero que está muy lejos... Sin embargo, yo no estoy impaciente hoy, ni cansada, y la niña lo sabe. Es ella ahora la que inicia una caricia tímida con su manita dentro de la mía; y por primera vez me doy cuenta de que su mano de cuatro años es igual a mi mano grande: tan decidida, tan poco suave, tan nerviosa como la mía. Sé por este contacto de su mano que le late el corazón al saber que empieza su vida de trabajo en la tierra, y sé que el colegio que le he buscado le gustará, porque me gusta a mí, y que, aunque está tan lejos, le parecerá bien ir a buscarlo cada día, conmigo, por las calles de la ciudad... Que Dios pueda explicar el porqué de esta sensación de orgullo que nos llena y nos iguala durante todo el camino...

Con los mismos ojos ella y yo miramos el jardín del colegio, lleno de hojas de otoño y de niños y niñas con abrigos de colores distintos, con mejillas que el aire mañanero vuelve rojas, jugando, esperando la llamada a clase.

Me parece mal quedarme allí; me da vergüenza acompañar a la niña hasta última hora, como si ella no supiera ya valerse por sí misma en este mundo nuevo, al que yo la he traído... Y tampoco la beso, porque sé que ella en este momento no quiere. Le digo que vaya con los niños más pequeños, aquellos que se agrupan en un rincón, y nos damos la mano, como dos amigas. Sola, desde la puerta, la veo marchar, sin volver la cabeza ni por un momento. Se me ocurren cosas para ella, un montón de cosas que tengo que decirle, ahora que ya es mayor, que ya va al colegio, ahora que ya no la tengo en casa, a mi disposición a todas horas... Se me ocurre pensar que cada día lo que aprenda en esta casa blanca, lo que la vaya separando de mí –trabajo, amigos, ilusiones nuevas–, la irá acercando de tal modo a mi alma, que al fin no sabré dónde termina mi espíritu ni dónde empieza el suyo...

Y todo esto quizá sea falso... Todo esto que pienso y que me hace sonreír, tan tontamente, con las manos en los bolsillos de mi abrigo, con los ojos en las nubes.

Pero yo quisiera que alguien me explicase por qué cuando me voy alejando por la acera, manchada de sol y niebla, y siento la campana del colegio, llamando a clase, por qué, digo, esa expectación anhelante, esa alegría, porque me imagino el aula y la ventana, y un pupitre mío pequeño, desde donde veo el jardín y hasta veo clara, emocionantemente, dibujada en la pizarra con tiza amarilla una A grande, que es la primera letra que yo voy a aprender...

Carmen Martín Gaite

De su ventana a la mía

Carmen Martín Gaite (Salamanca, 1925) es autora de numerosos libros de relatos (el primero, *El balneario,* fue premio Café Gijón en 1954), recogidos en *Cuentos completos y un monólogo* (1994), y novelas, entre las que destacan *Entre visillos* (1957, Premio Nadal), *Retahílas* (1974), *El cuarto de atrás* (1978, Premio Nacional de Narrativa), *Nubosidad variable* (1992) y *La Reina de las Nieves* (1994). También ha escrito ensayos: *El proceso de Macanaz* (1969), *Usos amorosos del dieciocho en España* (1972), *El cuento de nunca acabar* (1983), *La búsqueda de interlocutor* (1973), *Usos amorosos de la postguerra española* (1987, Premio Anagrama de Ensayo), *Agua pasada* (1993). Ha obtenido también los premios Príncipe de Asturias de las Letras Españolas (1988) y Castilla y León de las Artes (1992).

Para Paco Nieva

New York, 21 de enero de 1982

Anoche soñé que le estaba escribiendo una carta muy larga a mi madre para contarle cosas de Nueva York, pero era una forma muy peculiar de escritura. Estaba sentada en esta misma habitación, desde cuyos ventanales se ve el East River, y lo que hacía no era propiamente escribir, sino mover los dedos con gestos muy precisos para que la luz incidiera de una forma determinada en un espejito como de juguete que tenía en la mano y cuyos reflejos ella recogía desde una ventana que había enfrente, al otro lado del río. Se trataba de una especie de código secreto, de un juego que ella había estado mucho tiempo tratándome de enseñar. (Como cuando me quería enseñar a coser y me decía que era cuestión de paciencia. «¿Ves como si te pones te sale bien? Mira, el secreto está en no tener prisa y en atender a cada puntada como si esa que das fuera la cosa más importante de tu vida.»)

Y la felicidad que me invadía en el sueño no radicaba sólo en poderle contar cosas de Nueva York a mi madre y en tener la certeza de que ella, aun después de muerta, me oía, sino también en la complacencia que me proporcionaba mi destreza, es decir, en haber aprendido a mandarle el mensaje de aquella forma tan divertida y tan rara, que además era un juego secretamente enseñado por ella y que nadie más que nosotras dos podía compartir.

Las culebrillas de mi mensaje pasaban por encima del

East River, que arrastra trozos de hielo, por encima de los remolcadores y de los barcos de carga; esquivaban el choque de los helicópteros, se metían por debajo del Queensboro Bridge y llegaban indemnes a su destino. «Al fin, ¿lo ves como no era tan difícil?»

La ventana de mi madre estaba iluminada por el sol poniente y vibraba con destellos de todos los colores cuando mis palabras llegaban a tocar el cristal; era grande y resplandecía como un brillante irisado entre el humo, el acero y el cemento. Pero de la habitación a que pertenecía esa ventana nada podría decirse con certidumbre, sino que tal vez era una mezcla de muchas habitaciones, de todas en las que ella se sentó alguna vez a mirar por la ventana.

Desde un criterio puramente geográfico, pienso ahora, que estoy despierta y miro en esa dirección, que sería lógico localizarla en Long Island o Queens, pero no. Estaba mucho más allá, en ese más allá ilocalizable adonde precisamente ponen proa los ojos de todas las mujeres del mundo cuando miran por una ventana y la convierten en punto de embarque, en andén, en alfombra mágica desde donde se hacen invisibles para fugarse.

Nadie puede enjaular los ojos de una mujer que se acerca a una ventana, ni prohibirles que surquen el mundo hasta confines ignotos. En todos los claustros, cocinas, estrados y gabinetes de la literatura universal donde viven mujeres existe una ventana fundamental para la narración, de la misma manera que la suele haber también en los cuartos inhóspitos de hotel que pintó Edward Hopper y en las estancias embaldosadas de blanco y negro de los cuadros flamencos. Basta con eso para que se produzca a veces el prodigio: la mujer que leía una carta o que estaba guisando o hablando con una amiga mira de soslayo hacia los cristales, levanta una persiana o un visillo, y de sus ojos entumecidos empiezan a salir enloquecidos, rumbo al horizonte, pájaros en bandada que ningún ornitólogo podrá clasificar, cazar ningún arquero ni acariciar

42

ningún enamorado y que levantan vuelo hacia el reino inconcreto del que sólo se sabe que está lejos, que no lo ha visto nadie y que acoge a todos los pájaros ateridos y audaces, brindándoles terreno para que hagan su nido en él unos instantes.

Mi madre siempre tuvo la costumbre de acercar a la ventana la camilla donde leía o cosía, y aquel punto del cuarto de estar era el ancla, era el centro de la casa. Yo me venía allí con mis cuadernos para hacer los deberes, y desde niña supe que la hora que más le gustaba para fugarse era la del atardecer, esa frontera entre dos luces, cuando ya no se distinguen bien las letras ni el color de los hilos y resulta difícil enhebrar una aguja; supe que cuando abandonaba sobre el regazo la labor o el libro y empezaba a mirar por la ventana, era cuando se iba de viaje. «No encendáis todavía la luz —decía—, que quiero ver atardecer.» Yo no me iba, pero casi nunca le hablaba porque sabía que era interrumpirla. Y en aquel silencio que caía con la tarde sobre su labor y mis cuadernos, de tanto envidiarla y de tanto mirarla, aprendí no sé cómo a fugarme yo también. Luego entraba alguien, daba la luz y reaparecían los perfiles cotidianos. «Bueno, habrá que correr las cortinas», decía ella, como despertando.

Pero en la sonrisa especial que dulcificaba su expresión se le notaba lo lejos que había estado, lo mucho que había visto. Y daban ganas de arrodillarse a su lado para ayudarle a abrir las maletas, de preguntarle: «¿Qué regalo me traes?»

Y seguro que, antes de conocerla yo, viajó por la ventana mucho más todavía. En aquel tiempo —tan novelesco para mí— de su juventud y de su infancia, desde aquellos espacios interiores que yo no conocí, seguro que algún día tuvo que llegar hasta el mismo Nueva York; un viaje arriesgado para la época, si se parte de Orense, Allariz, Cáceres, La Coruña, Madrid o Salamanca, entre dos luces, al atardecer, dejando atrás espejos, consolas, costureros, cacharros de cocina, sofás y aparadores de la casa propia o de algún pariente donde se han ido a pasar las vacaciones de verano y cuyos rincones aún pueden columbrarse en viejas fotografías. ¡Adiós! Y ahí se quedan las primas feas y la abuela y Pilar Prieto y la tía Pepa y las señoritas de Nicolau; me voy a América, ¡adiós!

Su padre era catedrático de Geografía y en la casa había muchos atlas. «Mira América qué grande –le diría alguna vez–, cuánto espacio abarca. Y eso tan chiquitito es Nueva York, con dos ríos, el Hudson y el East River.» Y ella se quedaría mirando a la ventana. ¡Perderse en Nueva York, la ciudad del dinero y de los rascacielos, del incipiente cine, la ciudad de los sueños! ¿Cómo no iba a llegar mi madre a Nueva York en alguna de aquellas excursiones de joven ventanera, alimentada de novelas exóticas?

Claro que llegaría en alguna ocasión; y ese día, el que fuera, los pájaros errantes de sus ojos construirían aquí un nido de cristal tan secreto, tan raro y tan perenne que hasta ayer por la noche nadie había dado con él. ¡Pues anda que no había camino, vericueto y laberinto para llegar a eso que se produjo anoche, a esa emisión cifrada de señales entre mi madre y yo, de su ventana a la mía! Y por eso era el júbilo del sueño. Ahora lo he entendido.

Ana María Matute

Cuaderno para cuentas

Página uno

Este cuaderno es para las cuentas, porque no tiene
rayas, que tiene cuadritos, pero no voy a hacer cuentas, va
a ser para apuntar la vida, contar por qué he venido aquí,
con mi madre. Aquí vivía mi madre desde mucho antes
que yo naciera, y yo no había visto nunca a mi madre, sólo
ahora la he visto, y el primer día me pareció sucia y fea y
cuando me dio un beso puse las manos duras para apartar-
la, entonces dijo, que mala hija, pero no lloró como hacen
todas, lo decía por decir, ya sabía que ni mala hija ni nada
era yo, no era nada. Desde el primer día me pusieron a
vivir con ella, en su cuarto. Eso es malo, tiene un cuarto
muy chico, con una ventana que da a otro cuarto con
trastos y las escobas, y la bombilla está fundida y nadie la
cambia, no hace falta, dice mi madre, con sólo abrir la
puerta ya se ven las escobas y todas las cosas así que hay
en el cuarto ese, sólo que nadie ve las arañas más que yo.

La primera noche estuve acordándome todo el tiempo
de mi casa, cuando vivía con la tía Vitorina, en la escuela,
porque la tía Vitorina era la criada de la maestra doña
Eduarda, y como me acordaba, lloré con la boca contra la
almohada, porque yo quería a la tía Vitorina, y ya no
estaba, ni nunca estaría, y sólo ahora me he enterado que
la tía Vitorina era hermana de mi madre, pero yo quería
las cosas de aquel pueblo, donde la Escuela y la maestra
doña Eduarda, así que lloré, pero lo que más me acorda-

ba, la huerta, aquel árbol que había con cerezas, luego la tía Vitorina, también, claro, aquí todo tan oscuro siempre en la cocina esta, mi madre guisa, es una buena cocinera, pero no es igual, no se parecían la tía Vitorina y mi madre, y esta casa es muy grande pero nadie quiere que el sol estropee los muebles, los de arriba, los de los amos, no los de la cocina y la despensa y el lavadero, pero aquí no entra el sol aunque se pueda, así que para qué, qué más da que se pueda. De la casa donde vivía yo con la tía Vitorina no me traje nada, sólo la ropa. Claro que mío no tenía nada, ni de la tía Vitorina, todo era del Municipio que se lo ponía a doña Eduarda, así que sólo me vine así, con la ropa, y el cuaderno para las cuentas que me dio la maestra doña Eduarda, me dijo, toma, para que no se te olvide sumar, tú vete haciendo cuentas, así no se te olvidará, pero no voy a hacer cuentas, para qué sirven, para nada, mejor cuento la vida, a quién se lo voy a contar, a nadie, no se puede hablar con nadie nunca. Aquí hace siempre mucho viento, y polvo.

Estamos detrás de la Parroquia de los Santos Roque y Damián que son los patronos de aquí y están en el altar del centro, para arriba de todo, están tan altos que no se sabe lo que son si no lo dicen, hombres o mujeres, santos o santas, pero no importa, todos los santos son iguales, sirven para lo mismo todos, igual es pedirles a ellos que a otro, todos son santos. Y la tía Vitorina, me acuerdo, decía la tía Vitorina, mira, mejor pedir a Dios por lo derecho, para qué andar con los santos de por medio, quien manda, manda. Y detrás está el mar, pero aún no lo he visto, me lo han dicho, dicen que queda un poco lejos, el domingo vamos a ir.

Página dos

Me dijo mi madre, mira, Celestina, vas a ser buena, porque si no te van a mandar al hospicio los Santos

Ángeles, que es muy feo, y te quitarán de mí. Yo dije, el nombre no es feo y qué más da aquí o allí, y dijo ella, bueno, ingrata, aunque no sea feo, allí vas a estar peor que aquí, así que tú pórtate bien, ingrata, cacho ingrata, te daba así. Pero yo sé lo que es portarse bien, es portarse como quiere el que lo dice, y para unos es una cosa y para otros, otra, yo ya me acuerdo, allí con la tía Vitorina y con doña Eduarda era igual. Le dije a mi madre entonces, pues la tía Vitorina siempre me amagaba con que si no me portaba bien, me iban a mandar aquí, a donde estoy ahora. Entonces, mi madre dijo, que Dios la tenga en gloria, a la tía Vitorina. Pues bien, que la tenga en Gloria, pero no tiene nada que ver con lo que yo le dije.

Página tres

A los qué sé yo cuántos días de estar aquí en la cocina y en el cuarto, sin salir para nada más que a la misa, va y viene a la cocina Leopoldina, la señorita Leopoldina hay que decir, que es la sobrina vieja del amo, porque tiene otras sobrinas, pero a ésta, mi madre y Ernestina, la otra criada, y el Gallo, que es el cartero, le llaman la sobrina vieja, pues vino y me dijo, ponte limpia que te va a ver el amo. Entonces mi madre se puso nerviosa, dando paseítos de un lado para otro, como si tuviera mucho que hacer, y la vi que estaba colorada, pero no había encendido el fuego, no era por eso, sólo el hornillo del café, era muy temprano todavía. Entonces la señorita Leopoldina la miró muy fijo y dijo, no te pongas afanosa, no, que no va a pasar nada nuevo, es simple curiosidad. Entonces, mi madre, que suele estar mansa, echó los brazos para arriba y gritaba: ¡Y qué voy a esperar si ya no espero nada de nadie! Y la señorita Leopoldina dijo, más te valiera calzarte, desastrada, porque también ella contesta sin que pegue nada. Aunque sí es verdad que a mi madre le gusta andar descalza, dice, los zapatos me dañan, y tiene la planta dura, nada se le clava ni le duele.

Entonces me dijo la señorita Leopoldina, lávate, y mi madre echó agua en el barreño grande, casi me abraso, y la señorita Leopoldina iba diciendo, ahora el cuello, ahora esto, y lo otro, como si yo fuera tonta. Luego dijo, péinala, y así que me sequé, el gato estaba mirándome fijo, seguro pensaba que por qué estaba haciendo eso, aquí nadie me lo mandaba, mi madre no es como la tía Vitorina. Entonces mi madre se puso a desenredarme, y dijo la señorita Leopoldina, que estaba allí delante como un espantajo, dijo, lo que es, a ti no se parece la chica. Más vale, dijo mi madre, y la señorita Leopoldina, dijo, lástima de ser quien es, que la verdad, parece un cromo. Dicen eso del cromo para decir que soy muy guapa, también lo decía la tía Vitorina, pero los cromos qué van a ser guapos, yo los guardaba los del chocolate, había romanos, tiburones, catedrales, peces, no sé qué guapos iban a ser. Cosas que dicen ellas.

Claro que soy guapa, me miro al espejo y lo veo bien claro, porque además tengo el pelo rubio, y casi nadie tiene el pelo rubio.

Página cuatro

El amo, que es el amo de la casa, aunque en la casa esta hay otros amos también, que son sus hijos, sus nueras y sus nietos, el amo más amo es él, que fue el primero, los otros vinieron luego. Mi madre me dijo que manda más que nadie, más que el alcalde, que el cura, que todo el Ayuntamiento y que todos, casi que como los civiles, y hasta más, acaso. Pero yo aquel día no le conocía todavía al amo, ni sabía que le tenía que conocer, pensaba que nunca le vería, cuando mi madre me hablaba de él lo decía todo en voz baja, como si estuviéramos en misa, yo le dije, ¿por qué me hablas así de bajo? y ella me tapó la

boca con la mano, me hizo daño y encima no me contestó, no dijo por qué hablaba así, es que no contesta nunca,
o contesta despropósitos. Así es casi todo, por aquí.

Manda tanto el amo que cuando la guerra que hubo,
hace mucho tiempo, ni había yo nacido ni nada, y madre
dice que ella era una chiquita, sólo se acuerda del bom-
bardeo aquel, el amo mandaba tanto, que hizo matar a
todos los que le acomodó, con sólo señalar con el bastón,
decía el Gallo eso, que lo recuerda muy bien, que ya era
mozo, y fue a filas, dice, que es pegar tiros al enemigo de
Dios y de la Patria, aunque no mató a nadie, él dice que
no cree que mató a nadie. Ya no hay guerra, pero el Gallo
dijo que aunque no haya guerra, el amo sigue diciendo
éste quiero, éste no quiero, como entonces, como yo con
las moscas que tengo buen tino, a ésta quiero, a ésta
espachurro. Y todavía ahora dice el Gallo que el amo
dice, éste que se quede, éste que se vaya, éste bien, éste
mal, aunque ya no los matan, ya no hay guerra. Quién
pudiera ser el amo, ojalá yo pudiera decir eso, esto no
quiero, esto sí, ahora mismo me marcho, no quiero vivir
con éstos, me vuelvo a la Escuela, que resucite la tía
Vitorina aunque me pegue, qué más daba, teníamos la
huerta y el árbol, para nosotras solas, aunque fuera del
Municipio, y había una fuente, también, donde bebíamos.
Pero ca, eso no puede ser, ni el amo podría una cosa así,
el amo ni es Dios ni nada del cielo. Sólo que pienso si a lo
mejor cuando crezca, a lo mejor, me hago señora, y podré
hacer lo que me dé la real, pero me lo callo, porque un
día que le pregunté, a mi madre, madre ¿yo voy a ser
señora? ella no dijo nada, pero el Gallo que se estaba
bebiendo el vaso de vino que mi madre le da cuando
viene con las cartas, dijo el Gallo riéndose, sí, tú vas a ser
señora de la escoba y el cazo, eso serás tú. Y estaba
entonces también en la cocina la otra criada, la que hace
las camas y quita el polvo y otras cosas, la Ernestina que
la llaman, y le dijo, mira que eres, Gallo, con esta inocente ya podías morderte la lengua.

A lo primero de todo sí que era inocente, pero para entonces, para ese día, yo ya había pegado la oreja a muchas puertas y a todo lo que decían en la cocina y en la plaza, donde me llevaba la Ernestina a comprar la verdura y la carne, y para aquel día yo ya me había enterado de que yo era la hija del amo, bueno, una de las hijas, y también que a mí no me querían ver ni en pintura las otras hijas del amo, que no eran hijas de cocinera, como yo, sino que tenían de madre a doña Asuncioncita. A doña Asuncioncita se la veía poco, pero una vez yo sí que la vi pasar, cuando iba a misa, despacito, como si se fuera a verter, y todos la miraban mucho. Antes, cuando la escuelita y la tía Vitorina, yo no hubiera entendido ese lío de hijas, que como iba a ser eso si mi madre no estaba casada con el amo, que era doña Asuncioncita la que estaba casada. Pero ahora ya lo sé casi todo, las cosas de la gente, y de la vida, y todo, que no es eso como antes me creía yo, porque para eso somos como las gallinas, o los gatos y perros, que ni se casan ni nada, no se necesita. Esas cosas las aprendí aquí, pero aquí no hablo con nadie, a nadie le digo nada, ni a Ernestina que es la buena, la mejor, y me tiene cariño, que se le nota, pues ni a ella le diría nada.

Por eso aquel día ya sabía yo para qué me quería ver el amo a mí, porque era mi padre, y yo nunca le había visto, era muy viejo, un vejestorio, decía Ernestina en la plaza cuando se creía que yo leía el Capitán Trueno y no lo leía, que miraba los santos y escuchaba, que se puede hacer a la vez, eso decía, un vejestorio así y que nos traiga a todos en danza, el tío asqueroso, no se morirá de una vez. Y por eso bajó la señorita Leopoldina, que era el ama de llaves de la casa y valía mucho, y la querían mucho doña Asuncioncita y todas las hijas del amo, las otras, porque era agradecida, decían, y decía mi madre, lo que tiene el ser pobre, ya se cobran el haberla recogido, ya, que no para, hala todo el día, como una mula, y amargándonos a los que estamos debajo, recontra con la condenada, eso decía mi madre cuando venía Leopoldina a regañarla, que era muchas veces, y cuando le tomaba la cuenta y no salía, que también. Y cuando vino la señorita Leopoldina a por mí, a que me viera el amo, por curiosidad solo, ya sabía yo todo eso. Y también sabía que ella era soltera, pero no igual que mi madre, sino de las de verdad, y era muy limpia y no era muy fea pero tenía unos pocos pelos por el bigote, y yo le notaba que me tenía rabia aunque le parecía guapa, y a lo mejor por eso. Aquel día me cogió de la mano, y yo notaba la rabia que me tenía en cómo me la estrujaba y me tiraba del brazo, escaleras arriba, sin resuello ni nada en los descansillos, como si yo fuera a quejarme, qué más hubiera ella querido, que yo me quejara, pues no, que nunca, nunca, digo nada a nadie.

Página seis

Entonces llamó a la puerta del amo con los martilletes de la mano y dijo cerca de la cerradura, tío, tío, le traigo a la Celestina. Luego empujó la puerta, y a lo primero no se veía, había mucho olor a botica y a cama sin ventilar, me metí las manos en los bolsillos del delantal y Leopoldina, que todo lo veía, que ya decía Ernestina, no se le escapa una a la condenada esa, no se le escapa el vuelo de una mosca, fue y me dijo, saca las manos enseguida. Luego, ris, ras, corrió las cortinas, entró luz, abrió otra puertita y lo vi, al amo. Estaba muy viejo, llevaba una camiseta amarilla con un botón sin abrochar debajo del cuello, que tenía con muchas venas, como un árbol que yo conozco. Entonces pensé, ¿pues a quién me parezco yo? porque éste es también un rato feo, y además con la cabeza calva, sólo unos pocos pelos por arriba de las orejas, pero muy largos, que otros días después, cuando le vi peinado, vi que eran para pasárselos por encima de

53

la calva y tapársela un poquito. Aquel día tenía toda la cara llena de pinchos grises y no llevaba la dentadura puesta todavía, así que no me pudo parecer peor. Me dijo, aquel día, ven, mujer, ven, no tengas miedo. Pero yo no tenía miedo, lo que tenía era otra cosa, me parece que como asco, pero no del todo, del de vomitar no, de otra clase que pone peso en el estómago, y no tenía ganas de echar a correr, como casi siempre, sino que quería quedarme allí para mirarle y ver por qué, por qué tenía yo que ser hija suya y no de otro cualquiera, que le pegara más a mi madre, como el Gallo mismo, sin ir más lejos. Pero nadie entiende esas cosas, no porque yo sea todavía menor, es que nadie las entiende, ni los maestros, ni nadie. Así que fue aquella mañana cuando le conocí al amo, que era mi padre, y me estuve con él tanto rato.

Página siete

Porque el amo le dijo a la señorita Leopoldina que se fuera, que quería estar conmigo solo y hablarme de una cosa, y yo noté que menudo coraje le daba a la señorita Leopoldina, pero se aguantó y se fue. Y no era verdad, el amo no tenía ninguna cosa que decirme, no me dijo nada, así que se fue la señorita Leopoldina se dio la vuelta en el sillón y se estuvo dormitando, aunque no del todo, porque al ratito ya se daba con el abanico, como para refrescarse un poco.

Al primer rato me aburrí, y me puse a tocar todas las medicinas que había encima de la mesa, tantos frasquitos de colores, y cajitas, y entonces él abría un poco el ojo y decía: ése, para el dolor, eso para el corazón, eso, supositorios, y de todos decía, luego, ¡Pua! ¡majaderos! y se reía. A mí me hacía gracia y también me reí, y vi que le gustaba que me riera, me miraba por el rabillo del ojo, hasta que me pareció que se había dormido de verdad, y me fui.

La maestra doña Eduarda no era como doña Asuncioncita, a la tía Vitorina la quería mucho, y hasta a mí me quería, que me tenía gratis en la escuela. Pero claro, cuando la tía Vitorina se murió, ya no me podía tener allí, y dijo, yo no la puedo atender a esta criatura, y a la mujer que venga a servirme a mí, harto tendrá con las faenas propias de la casa, no la voy a encomendar a la cría, así que se vaya con su madre, que es con quien debe ir. No sé por qué decía todo el mundo eso, que vaya con su madre, que es con quien debe estar, porque me parece que a mi madre no le traigo más que líos y jaleos, que desde que estoy aquí en esta casa no la dejan vivir las hijas del amo, que aunque sea también mi padre, no es como si fuesen mis hermanas, es otra cosa diferente. Lo que todavía no entiendo es todo lo que le achacan a mi madre, como si tuviera muchas culpas que pagar, o como si mi madre fuera a quitarles a ellas algo, pero ¿qué es lo que les puede quitar?, si sólo hace que servirlas. En cambio la Ernestina dice, tanto como le quitan a tu madre, ladronas, que por ellas estaría en el arroyo, si no fuera porque a pesar de todo lo malo que es, el viejo manda aquí todavía, que menudo es el tío para llevarle la contra, viejo y todo, y más podrido que está que la puñeta. Eso dice la Ernestina, es tan gracioso oírla, hay que esconderse para que no vea cómo me parto de risa.

Pero por fin fuimos el domingo al mar, y lo vi. Estaba lejos, donde dicen la playa, y había muchos bares al borde, y olía a frito, conque la Ernestina, que venía con nosotras, dijo: vamos a sentarnos aquí, a bebernos un quinto, que ya está una reventada, y nos sentamos en una mesa, y ellas se bebieron el quinto, y me pusieron a mí dos dedos en otro vaso. Andaban por allí muchos perros, y un gato lleno de unto y muy gordo, se conoce que comía mucho. Era un domingo muy distinto de cuando la tía Vitorina, porque en los domingos de la tía Vitorina íbamos al cine, donde echaban películas que ella no entendía, y me decía, cuéntamelas, cordera, cuéntamelo, que no lo alcanzo. El cine es un poco raro, sin acabarse una cosa ponen otra encima y se pierde el hilo un poco, como cuando allí, en el pueblo, el tío Julianón quería contar algo y se ponía a mezclar todo lo que contaba y lo que pasó cuando la guerra aquella, y todos se partían de risa, porque está medio loco, y los chicos le ponían botes, a veces, colgados de la blusa. En cambio en el cine nadie se ríe, hasta lloran y todo, pero daba lo mismo, lo que yo no entendía me lo inventaba para contárselo a la tía Vitorina, y un día nos oyó doña Eduarda, ella sí que se dio la gorda de reír, y dijo, vaya, sois tal para cual. Pero nada de aquí es como allí, sólo el mar me gustaba el domingo, sólo hacía que mirarlo y ponerme de puntillas, hasta que mi madre me dijo, estáte quieta, y Ernestina dijo, es que le llama la atención la playa, anda Celestina, vente conmigo, vámonos para que la veas de cerca. Pero mi madre dijo que no, que se hacía tarde, y sacaron el dinero del bolso para pagar, y nos fuimos otra vez a casa, qué coraje me dio.

Página nueve

Pero ha pasado una cosa mala, fue que el amo estaba gritando allá arriba, solo, sin que le oyeran, porque había un incendio en la calle y todo el mundo corría. Entonces yo subí las escaleras, que ya sabía su habitación por aquel día, empujé la puerta y lo vi, que estaba morado de rabia de que no le contaba nadie lo del incendio. Fui yo, hice ris, ras, en las cortinas, como lo vi a la señorita Leopoldina y se lo conté todo al amo, que era mi padre, y más cosas aún, como hacía en el cine con la tía Vitorina. Al amo le gustaba mucho lo que yo le contaba, casi se olvidó, y yo también, del incendio. Le dije, luego, si quiere usted le voy a contar una película, bueno pues la cuentas un poco a ver si me gusta, dijo él, y si no, empiezas otra. Pero le gustó enseguida, y cuando terminé me dijo, ahora vete para abajo, pero vuelve alguna vez y me cuentas más, vete haciendo memoria.

Así que subí dos veces más, le gustaban más las de cinemascope, era porque a mí también me gustaban, se veía el campo entero y los caballos, todo mejor, con los colores, y con lo que ponía yo de mi parte salían bien, cómo no le iban a gustar, hasta a mí, me parecía que las veía. Entonces pasó que la señorita Leopoldina entró en la segunda película, y se quedó verde de rabia, que lo noté, y el amo le dijo, mira Leo, que la llama Leo, que suba ésta todas las tardes, que ésta me lo cuenta todo, no como vosotros, que me tenéis como un mueble. Así lo dijo, y la señorita Leopoldina se puso entonces muy colorada, y luego se le pasó el sofoco y dijo, bueno, tío. Entonces el amo, que nunca decía casi nada, va y dijo, sabes Leo, esta niña cómo se parece a su madre, cuando la encontré allí, en el camino, medio loca de miedo por las bombas, es igualita que ella, cuando la cogí y la subí al camión y la llevé a casa, tú no puedes acordarte, no estabas aún aquí, aún vivía tu madre, pero sí, es igual que ella, cómo se me agarró a la manga del uniforme, y yo le decía, chiquita que me vas a arrancar los galones. Luego el amo se echó a reír, y como se había puesto la dentadura parecía mejor. Leopoldina me arrancó casi el brazo escaleras abajo, y yo la veía que ni podía respirar de tanto coraje, se conoce que no quería que se dijese que mi madre fue guapa, porque estaba claro que si se me parecía, es que fue muy guapa.

Pero la cosa mala es que aquella mismita noche, dijo la Ernestina a mi madre, atiza, menuda se armó, parece que la cría ha estado con el viejo arriba, sin que nadie lo sepa. Mi madre me miró, me parece que estaba asustada, pero la Ernestina dijo, hala y que se chinchen, las tías esas. Porque a todo el que le tiene bola, la Ernestina le llama tío, o tía. Y dijo, luego, han estado armando lío, que

57

si sois unas lagartas tú y la cría, que si son cosas de la chochez, a saber qué saldrá, pero tú no te acalores, al tiempo se verá. Y no había pasado ni una hora aún, cuando bajó a la cocina la señorita Inmaculada, que es la más joven de las hijas del amo, y bajaba con un niño que tiene, en brazos, aunque nunca lo lleva en brazos ella, que para eso está por las tardes Isabel, una niñera que tiene quince años. Pues en cambio ahora lo traía ella, y el niño pateaba y gruñía un poco, se conoce que la extrañaba, y ella fue sin hablar a mi madre y la sacudió una torta en toda la cara. A mí se me cayó la cuchara, porque había empezado a cenar en aquel momento, me agaché a cogerla y ya no subí otra vez, me quedé allí acurrucada, pero oí que decía, a este hijo no le van a quitar lo que es suyo unas puercas como tú y tu hija, apestadas, que sois dos apestadas, que os tiene que sufrir mi pobre madre en su misma casa, la pobre mártir. Entonces me acordé de los cochinos que allá en el pueblo, donde la escuela, tuvieron la peste, y hubieron de quemarlos en la plaza, y subían las llamas y todas las calles olían a tusturrones, y pensé que a mi madre y a mí nos harían lo mismo, si pudieran, la Inmaculada y las otras, y quien sabe si doña Asuncioncita también, a pesar de que decía el Gallo que tenía sangre de horchata, y que bien le estaba lo que le estaba por sólo pensar en el dinero y en misas, que por todo pasaba con tal que se muriera el viejo, que era el amo, para heredar.

Cuando vi los pies de la señorita Inmaculada que se iban y oí que se alejaban los chillidos del niño, que también debía estar asustado, salí de debajo de la mesa y la vi, a mi madre, que se había sentado, pero no por cansada, sino como si no pudiera tenerse de pie, con el pañuelo apretado a la cara. Me acerqué despacito, ella parecía que no me veía, ni a mí, ni al gato, que la estaba haciendo runrunes en el pie, ni a nada, y pensé que mi madre tenía miedo, o pena, y la quise. Entonces ella dijo, ronca, no parecía su voz, dijo, anda, vete a la cama. Y me fui.

Ha pasado mucho tiempo desde que cogí el cuaderno para cuentas, luego ya no apunté la vida, no había cosas para decir, todo era igual, siempre había gritos en la cocina por algo, pero ya no me llamaban tanto la atención como a los primeros tiempos, cuando todo era nuevo. Así que pensé que para qué apuntar la vida, si no tenía interés. Ya lo sabía todo lo que tenía que saber, y ya no había ninguna noticia, todo cosa vieja y sabida, conque no lo toqué más el cuaderno. Pero hoy lo vuelvo a sacar de bajo el ladrillo del cuarto de las arañas, le he sacudido el polvo, y ahora que mi madre duerme y en la cocina sólo está el gato, a la lumbre, en la mesa me acomodo bien, y vuelvo a escribir la vida.

Todo ha sido porque el Gallo le estaba diciendo a la Ernestina una cosa, que yo la oí, porque ellos no sabían que yo estaba con el gato en el lavadero. Le dijo el Gallo a la Ernestina, que le había dicho el sacristán de la Parroquia, que le dijo que el amo quería hacer el testamento, y que todo se lo dejaría a mi madre, y la Ernestina dijo, pero quita allá, eso no puede ser, doña Asuncioncita y los hijos, todos tienen más derecho, y dijo el Gallo, sí, pero sólo lo justo, lo justo, la parte gorda va a ser para ella, y dijo la Ernestina, y tú ¿cómo lo sabes?, y dijo el Gallo, que sí, que el Sacristán lo sabe, que el viejo llamó a don Leandro y al notario, y que la va a reconocer a la Celestina, y todo lo demás.

Entonces se fueron para dentro, y ya no oí más pero me quedé que parecía que ya no podría nunca respirar, me apretaba el vestido debajo de los brazos, y pensé que ya hacía tiempo que me reconocía el amo, como no iba a reconocerme que era su hija, si dice que me parecía a mi madre, cuando lo de las bombas. Así que luego sentí una cosa por dentro, como calor muy bueno, porque yo ya la quería, a mi madre, ahora, ya la quería, y más aún la quería cuando la veía que se quedaba quieta en un rincón y pensando, con los ojos muy juntos. No sabía yo que se podía querer como yo la quería. Aunque no lo entendí del todo al Gallo, sí saqué en limpio que el dinero del amo iba a ser para mi madre, cuantito que el amo se muriera.

Fue al día siguiente cuando la niña de la señorita Aurora, que era la hija mayor del amo, vino del colegio para las vacaciones, y desde que me vio que me decía, de lejos: bruja, bastarda, bruja, bastarda, que yo no la entendía lo que era eso, pero le pregunté al Gallo, y el Gallo dijo, no hagas caso, sandeces de esa flonflona. Y por la manera que lo dijo supe que era un insulto muy grande, enseguida me di cuenta por como me lo dijo, y sentí dos cosas, rabia por lo que me llamaba la hija de la señorita Aurora, y risa porque la llamaba el Gallo flonflona, que sí que lo era, una flonflona, tan gorda, tan corta y con sus muslazos. Se ponía debajo la escalera y cuanto que yo pasaba ya empezaba, pero yo como si no la oyera, que le daba más rabia. Conque a los pocos días me vio con el gato, y se acercó, y me dijo, qué bonito gato, ¿es tuyo?, sí, le dije, porque me había dicho mi madre que no era de nadie, que un día entró y ella le daba las sobras, pero que ser, lo que se dice ser, no era de nadie, así que me lo quedé. Déjamelo, dijo la flonflona, y le dije, bueno, porque no podía decir que no, y me quedó zozobra cuando la vi que se lo llevaba. Y ahora he cogido el cuaderno otra vez, porque me muero por dentro, que la flonflona le ha dado una bola de carne al gato, con cristales rotos mezclados, y el gato se me ha muerto ayer, en las rodillas, retorcido y con la boca llena de espuma colorada.

Página once

Ya te vas a acordar de Celestina, Flonflona, ya te vas a acordar de Celestina.

A lo primero estuve un día escondida, para que no me vieran la pena que tenía, pero rumiando bien, y ayer, por la tarde, pensé, sólo me queda un día, mañana se va otra vez a su Colegio así que si no es hoy, nunca, y he hecho lo que ella, me he escondido debajo de la escalera, y cuando bajaba cantando, he salido y la he tirado al suelo, qué piernotas tiene, la tía, la tía, ahora sé por qué la Ernestina llama tíos a los que no quiere. Cómo me gustaba arrearle, montada encima de ella, a la flonflona, y decirle, so tía, so tía, la he dejado morada. Conque luego salí arreando, me escondí en el lavadero, allí nadie me encuentra, y oía los gritos.

Pero cuando he salido, por la noche, mi madre estaba llorando, por fin, por fin la he visto llorar, es como si reventara pus, como aquella herida que yo tenía y la apretó la tía Vitorina, y por fin dormí. Pero me ha dicho la Ernestina: ya serás desgraciada, cacho bruta, la que has armao. Es que mató a Gaturrín, le dije. Quita allá con tus gatos, dijo la Ernestina, cacho bruta, y vi que también lloraba, pero de rabia, y dijo, ya podías tener paciencia, ahora os han echao a la calle a las dos. Y si tuvieras paciencia, pero no, ahora a la calle las dos, y verás lo que ese tío viejo dura aún, que ése no se muere nunca, ya lo verás.

Pero no nos han echado, y el Gallo se ha enterado de todo esta mañana, y ha dicho, qué han de echaros, mujer, ésas no se atreven, la que armaría el viejo, ésas no se atreven.

Fue ayer cuando nos acostamos y ya estaba apagada la luz, que le dije a madre, madre, dime, ¿por qué no nos vamos de aquí, si nadie nos quiere?, y ella dijo, no nos vamos, Celestina, yo ya sé lo que hago, calla y duerme. Pero como estaba a oscuras ya no me daba vergüenza, le dije, madre, lo dices porque el amo es mi padre, pero yo no le quiero. Y entonces ya no oí nada más que el respirar de mi madre, que se había encogido en el borde de la cama, y alargué el brazo y le acaricié la espalda, y ella se echó a llorar bajito, lo notaba por como se movía, y yo sentía un odio enorme por la Flonflona en aquel momento, cómo me acordaba de la Flonflona, y dije: madre, vámonos de aquí. Entonces ella dijo: mira, calla, Celestina, hija, ten un poco paciencia, quién sabe cuando tu padre se muera. Y yo dije: ¿es que vamos a ser ricas cuando se muera? Y ella dijo: calla, calla, Celestina, por Dios y por los santos, cállate y duerme, no me hables nunca más de eso.

Pero ahora lo sé, que cuando se muera, vamos a ser ricas mi madre y yo, y nos iremos de aquí, y he pensado que nos podríamos comprar una casa, allí donde le dicen la playa, donde el mar. Y a lo mejor le decimos que se venga a vivir a la Ernestina. Y a lo mejor, al Gallo también.

Claro que todo el mundo lo dice, que ése no se muere nunca, que tiene tantas vidas como el diablo, que nos enterrará. Eso dicen, pero qué saben ellos.

Página catorce

Se me ha ocurrido cuando se ha roto la botella del vinagre, se ha escurrido del estante y se ha caído al suelo y se ha hecho añicos, cuánto brillan los añicos verdes, que bonitos son, parecen de sortija. Pues entonces se me ha ocurrido, y la he mirado a mi madre que estaba de espaldas y tenía yo una alegría tan grande por lo que se me ocurría que casi reventaba.

Cuando ha bajado la señorita Leopoldina a por la bandeja de la comida del amo, no se notaba nada, qué artista soy, como dijo el Gallo el día que me vio dibujar en la pared del lavadero.

Página quince

No sé por qué no me la dejan ver, no sé por qué nos tienen que separar, ahora él ya está muerto, si se murió casi enseguida, no sé por qué me van a llevar allá donde ella no quería que fuese, aunque tuviera el nombre bonito, ahora yo tampoco quiero ir, quiero estar .con ella, cuando ella me dijo, ingrata, ingrata, ahora me duele dentro acordarme de que le dije que daba lo mismo aquí que allá, y ahora por qué no me la dejan ver, quién se la ha llevado, adónde, qué es lo que dicen que ha hecho, por qué llora Ernestina doblando mi ropa, qué pasa, no entiendo nada, adónde me llevan a mí, dónde estará ella, yo ya la quería, cierro este cuaderno, la vida no la puedo apuntar más. Tengo sed.

↳dijo Jesucristo en la cruz

Josefina R. Aldecoa

Espejismos

Josefina Rodríguez Aldecoa (La Robla, León, 1926) se doctoró en Filosofía y Letras por la Universidad de Madrid. En 1952 se casó con el escritor Ignacio Aldecoa. En 1959 fundó un colegio privado que sigue dirigiendo. En 1962 publicó un volumen de cuentos, *A ninguna parte*. Tras la muerte de su marido en 1969, hizo una selección y edición crítica de los cuentos de éste, y escribió un libro de memorias, *Los niños de la guerra* (1983). Posteriormente ha publicado las novelas *La enredadera* (1984), *Porque éramos jóvenes* (1985), *El vergel* (1988), *Historia de una maestra* (1990) y *Mujeres de negro* (1994).

–¿Tienes mucho calor? Si quieres entramos...

A las cinco de la tarde el mar resplandecía bajo el ardor del sol de julio. Era un momento sofocante. Ni un asomo de la brisa mediterránea que habitualmente se deslizaba por los arcos del porche, adelantando el frescor del agua, abajo, en la cala.

–¿Quieres tumbarte un rato? –insistió la madre.

Blanca negó con un repetido movimiento de cabeza.

–No, mamá. Estoy muy bien aquí. De veras...

«Nunca en julio», había dicho Blanca cuando le anunciaron su decisión de retirarse a vivir a la isla, tres años antes. Cuando el padre se jubiló en el Hospital, cerró su consulta y cumplió lo que siempre había prometido a Marcela.

–Nos retiraremos a tiempo. Pensaremos, escribiremos, leeremos, tomaremos el sol. Yo tengo fichas para varios libros y tú, tú siempre has dicho que el tiempo se te iba sin saber cómo, que estás harta de la Biblioteca y quieres poner orden en tus notas, tus traducciones... Seremos dos viejos estupendos. Ya lo verás... Y dejaremos en Madrid lo superfluo, lo agotador, lo gratuito...

A Blanca esos planes le habían sorprendido muy poco. Estaba harta de oírles hablar de aquel proyecto que parecía lejano, remoto, pero que un día había cristalizado sin esfuerzo.

La casa ya existía. Era la casa de los veranos, las Navidades, las Semanas Santas de su infancia. La casa de la isla que se alzaba en un promontorio sobre una cala pequeña con una playa solitaria y un camino que ascendía serpenteando desde el mar hasta el porche.

Cuando Blanca era niña el padre le contaba historias de piratas que habían utilizado aquel puertecillo natural, como un refugio para sus desembarcos clandestinos.

La infancia allí había sido deliciosa. Pero más tarde la adolescencia, con sus urgencias y su avidez de cosas nuevas, la empujó fuera de aquel lugar. También, de una forma de vida que encerraba rescoldos del sueño juvenil que sus padres nunca habían abandonado.

Así que, cuando le hablaron de la retirada inmediata y urgente, ella se había limitado a decir: Muy bien. Os visitaré en cualquier momento del año. Pero nunca en julio.

Porque julio era el mejor mes en las playas del norte, el mes con más luz y los días más largos. El mes preferido de Blanca. Sin embargo era julio y Blanca estaba allí, con su marido, en un viaje inesperado.

–Tenía ganas de escapar de los niños aunque fuera por poco tiempo –explicó Blanca. Y Marcela iba a decirle: Nos hubiera gustado tanto tenerlos aquí... pero no dijo nada.

Ahora estaban solas las dos, después del almuerzo, sumergidas en una sobremesa lenta y reposada. Derrumbadas en los sillones de mimbre rehuían mirar hacia abajo, hacia el reflejo cegador del agua.

–Tu padre y Luis estarán dormidos en cubierta, a la sombra en alguna cala del este... –dijo la madre. Y Blanca no contestó. Tenía los ojos cerrados y aparentemente, descansaba. Las ojeras azuladas destacaban más sin el brillo, oculto, de los ojos. «Tres hijos son muchos hijos», pensó Marcela. «Aunque no trabaje, aunque tenga alguna ayuda, aunque esté arropada por la familia de Luis...»

Un temblor de angustia oscureció el recuerdo de la

mañana con los baños repetidos una y otra vez, la comida preparada entre las dos, «ensalada y pescado y fruta, el menú de la isla, ya sabes. Verás como esos dos nos traen más peces...».

La mañana había sido serena. Habían hablado poco, embargadas por el placer de estar juntas.

–Los niños son estupendos: sanos, alegres, guapos, listos... –dijo Blanca inesperadamente, como si reflexionase en voz alta. Y la madre no contestó esperando que prosiguiera su confidencia. Pero ella se detuvo en seco y se limitó a sonreír levemente.

Más tarde, cuando el vino del almuerzo encendió el fervor de la conversación, Marcela había dicho:

–Qué bien has organizado tu vida, Blanca. Como tú la soñabas. Ya desde pequeña nos decías: Yo quiero tener un marido guapo y muchos hijos y una casa grande. Nos reíamos contigo, pero luego resulta que el proyecto iba en serio...

Blanca la miró de un modo extraño, ¿interrogante? Luego dijo en un tono desenfadado.

–Somos tan distintas tú y yo... Yo creo que elegí una vida ordenada y burguesa porque vosotros erais tan... bohemios.

La palabra surgió como sin querer y a Marcela le sonó anticuada y fuera de lugar.

–¿Bohemios? –preguntó–. Bohemios, no. Siempre hemos trabajado ordenadamente, hemos vivido tranquilos. No sé qué quieres decir con «bohemios»...

–Quiero decir que vosotros nunca buscasteis triunfos materiales. Sólo vuestras profesiones, los viajes, las islas. Pero nada de vida social obligada, fiestas organizadas, todo eso. Tan de acuerdo siempre los dos, tan aficionados a las mismas cosas, con las mismas ideas... Yo quería una vida brillante y cómoda...

–Pues ya la tienes –contestó la madre, un poco apresurada, un poco tajante.

–Sí. Ya la tengo –contestó Blanca. Y guardó silencio.

Ahora, al contemplarla, vulnerable en su relajada somnolencia, Marcela sintió un arrebato de ternura olvidada.

«Todavía es mi niña... Siempre será mi niña», se dijo.

Durante años parecía haberse alejado de ellos. Sin gran convicción había terminado su carrera de Derecho, una carrera absurda para Blanca en opinión de Marcela, aunque nunca lo había comentado con el padre y mucho menos con la propia Blanca. ¿Dónde, cuándo, con quién había hablado de Derecho como una carrera que le gustara?

Y la boda llegó enseguida, un verano. Una boda con gasas, tules, regalos y una gran fiesta en el jardín de la casa de los padres de Luis en Zarauz.

Había sido triste para ellos dos, pero Marcela se esforzó en defender la boda ante un Víctor escéptico.

–Aprende a aceptar las elecciones de los demás.

–Blanca hubiera podido hacer tantas cosas. Es lista y sensible –replicó Víctor.

–Blanca es inteligente y sabe lo que quiere. La hemos educado para usar la cabeza. No te preocupes...

Cuando llegaron los hijos, seguidos, con intervalos de poco más de un año y Blanca parecía tan feliz, Víctor tuvo que rendirse.

–Tenías razón. No podemos exigir a los seres queridos que elijan la vida que a nosotros nos gusta.

En cualquier caso, Luis era un hombre fuerte, un eficaz hombre de negocios. Con sus esquemas inamovibles, sus actitudes tradicionales. Pero un buen marido y un buen padre.

Un hombre seguro de sí mismo. «Seguro..., que terrible palabra», pensó Marcela. «En posesión de la verdad.»

La verdad siempre le había parecido a Marcela huidiza y cambiante. «Mi única seguridad es la aceptación de la inseguridad», pensó. Y se entretuvo en la contemplación del islote deshabitado que se erguía frente a la cala. Al atardecer, el sol desaparecería detrás del islote. Con las estaciones, el ocaso era inseguro. El islote no. Aunque acaso fuera al revés. ¿Y si el islote era sólo un espejismo? De pronto, una brisa fresca recorrió el porche.

Blanca abrió los ojos y encontró la mirada de su madre clavada en su rostro aunque por su expresión parecía ausente y como vacía.

–¿En qué piensas, mamá? –preguntó.

–Tonterías. Fíjate que me estaba preguntando si ese islote sería un espejismo...

Blanca sonrió, Marcela tomó conciencia de que apenas la había visto sonreír desde su llegada, la tarde anterior. O quizás ella no se había fijado, atenta a preparar la cena, a organizar el cuarto de invitados para que estuvieran cómodos.

–Llegar así sin avisar, Blanca. No es muy propio de ti...

En ese momento, con toda seguridad, Blanca había sonreído aunque ella no lo hubiera visto, inclinada como estaba, arreglando la ropa de la cama.

La noche de la llegada, después de la cena, los hombres se habían enzarzado en una discusión un poco aburrida sobre los problemas del país. Se habían instalado fuera, en el jardín de pitas y sabinas y adelfas que rodeaba la casa y se convertía en una explanada delante del porche. El cielo derramaba cargamentos de estrellas sobre el mar. Una luz, a lo lejos, señalaba la presencia de un barquito pesquero. Hacia el oeste, las luces del pueblo cercano parpadeaban sin fuerza. Un zigzag luminoso culebreó sobre las casas, luego se oyó un repiqueteo atronador.

–Las verbenas de julio –dijo Marcela. Y miró hacia Blanca que se había quedado sentada en el extremo del porche más cercano al jardín.

–¿Una copa? –preguntó la madre.

Y Blanca levantó la mano para mostrar el vaso todavía medio lleno.

–Cuéntame, mamá ¿veis a mucha gente? –preguntó–. ¿Seguís jugando al bridge con los viejos ingleses de Punta del Gallo?

Marcela se encogió de hombros.

–Sí, les vemos, pero no mucho. Son un poco agotadores con sus juegos y sus achaques. Además a tu padre le encanta estar solo. –Dudó un segundo y dijo–: Que estemos solos. ¿Y vosotros salís mucho?

Blanca se levantó y dejó el vaso sobre la mesa cercana. Respiró hondo y estiró el cuerpo entumecido después de un rato sin moverse.

–Qué clima –dijo–. Lo había olvidado. –Y luego añadió contestando a la pregunta de Marcela–: Nosotros sí, salimos bastante todo el año. Vamos mucho al club, jugamos al tenis o a las cartas. Bueno, tú ya conoces la vida en una ciudad del norte. Tú naciste en una ciudad parecida. Aunque te escaparas luego... Ahora, en verano, Zarauz y la playa, alguna salida a pescar en el barco de mi suegro, con los cuñados y las cuñadas...

Les llegaba el murmullo de la conversación de los dos hombres. Víctor fumaba, Luis no.

–Debías dejarlo –había advertido Luis a su suegro durante la cena–. Es fatal. Cada día está más claro que es fatal. Tú que eres médico... Fumar es peligroso.

Víctor había sonreído con cierta sorna.

–Vivir es peligroso –había dicho.

Se veía el punto luminoso del cigarrillo en la oscuridad del jardín.

–A dormir –dijo Marcela, con un punto de autoridad maternal en la voz–. Es muy tarde y mañana vosotros queréis salir a pescar temprano...

Obedientes, todos se fueron levantando y se retiraron al interior de la casa. Más tarde en la soledad del dormitorio, Víctor dijo:

–Parecen felices, ¿verdad?

Marcela se encogió de hombros y su respuesta fue lacónica.

–Parecen.

Ahora, subían los dos por el camino de la cala, cargados con las cestas, los jerséis, los bañadores. Subían despacio y en silencio. El sol iniciaba su pirueta de retirada, se escondía tras el peñón vacío y lo adornaba con su cresta roja. En el mar quedaba un rastro de incendios.

Los perfiles de la costa se dibujaban con más fuerza al descender la luz. Hacia el interior, los contornos de algunas casas de labor distribuidas por el campo emergían con nitidez.

Víctor y Luis se acercaban y las mujeres, de pie en el porche, esperaban su llegada.

Víctor depositó su carga y se limpió el sudor de la frente, sin palabras. Fue Luis quien habló pero no para contar qué tal la pesca, el mar, el día.

Dijo, y se dirigía a Blanca aunque no la miró:

—He hablado con tu padre. Le he dicho que nos vamos a separar.

Nadie respondió. Blanca permaneció inmóvil. Ni un músculo de su cara se alteró. No trató de explicar las causas, las razones, las quejas, los agravios. Víctor fue a sentarse en el escalón de entrada de la casa y se siguió frotando la frente en un movimiento repetido y mecánico.

Luis entró en la casa. Se le oyó en la cocina despojándose de sus cargas. Luego, la puerta del frigorífico y el tintineo del hielo en el cristal de un vaso. Luego el silencio. Marcela miraba a su hija. Se dirigió a ella con un tono sereno:

—¿Estás segura? —dijo—. ¿Estás segura de que no te equivocas?

Blanca seguía inmóvil.

—Sí, mamá, estoy segura.

—¿Y qué vas a hacer ahora?

—Volveré a Madrid si me dejáis vuestro piso. Y trabajaré. Vosotros no lo entendéis porque habéis acertado con vuestra vida y todo lo hacéis bien y sois perfectos...

Hablaba sin ironía buscando las palabras con calma.

–Todo fue un error desde el principio. Un espejismo.

Marcela la escuchaba embargada por una inmensa congoja.

No podía decirle que al final de todas las elecciones se agazapa algún error. No quería confesarle que ella también se había equivocado y no soportaba la paz de la isla, la soledad de la isla, el perfecto vacío de la isla. Que ella añoraba la ciudad, la prisa y la lucha y el cansancio y la rebeldía y la protesta y los fugaces contactos hermosos que a veces desgarran la niebla que nos rodea.

Tenía que esperar otro momento, otro viaje, otro encuentro, para confesar a Blanca que ella había aceptado los sueños de Víctor, había seguido los sueños de Víctor. Y se había equivocado. Tenía que esperar porque era suficiente un naufragio en un día. Tenía que esperar un poco más para escapar, ella también, de su espejismo.

Madrid, febrero de 1995

Esther Tusquets

Carta a la madre

Esther Tusquets (Barcelona, 1936), dirige la editorial Lumen desde los primeros años sesenta. Se dio a conocer como escritora con *El mismo mar de todos los veranos* (1978), primera parte de una trilogía que se completaría con *El amor es un juego solitario* (1979, premio Ciudad de Barcelona) y *Varada tras el último naufragio* (1981). Al año siguiente publica un libro de relatos, *Siete miradas en un mismo paisaje,* y, en 1985, su última novela hasta la fecha, *Para no volver.*

Esta noche he vuelto a soñar que estaba en vuestra casa (que abandonasteis hace mucho, sustituyendo el centro de la ciudad por un absurdo barrio residencial al que estaba emigrando casi en bloque la burguesía, poco después de que mi hermano y yo saliéramos casi simultáneamente de él para casarnos −impulsados vosotros, dijiste, por la falta de luz, pero movida también tú sin duda por esos inacabables deseos de cambiarlo todo−, y que ahora ocupan las oficinas de una agencia de viajes), aunque sería más apropiado decir tu casa, porque, si en la primera vivienda que ocupasteis juntos y donde nacimos los dos hermanos, mi padre había impuesto hasta cierto punto su gusto estético y sus ideas acerca de la comodidad, en la nueva vivienda fuiste ya tú quien lo elegiste todo, empezando por el piso, ese piso magnífico en el que me sueño cada vez con mayor frecuencia por las noches y que años después te parecería demasiado oscuro. Para aquel entonces papá había abdicado de cualquier presunción de poder, y hasta de opinión, en el ámbito de la vida doméstica, hijos incluidos, para ponerlo enteramente en tus manos. En parte lo hizo, pienso, por sentir cierta pereza, por andar sobrecargado de trabajo; en parte, porque era eso lo habitual en el grupo social al que pertenecíamos (el marido cedía a su mujer, y la mujer delegaba hasta cierto punto en el servicio, el cuidado y la educación de los niños), pero también porque se había abierto camino la convicción de que lo hacías todo −o al menos todo lo que te interesaba y emprendías− mejor que nadie y se iniciaba la sospecha de que eras superior a los restantes mortales. (Más adelante, en el transcurso de una vida que rebasa ampliamente el medio siglo, he estado en contacto con algunos políticos, con grandes empresarios, con escritores, con pintores, con artistas en general, que jugaban con mejor o peor fortuna a hacerse los divinos, pero aquel que no te haya conocido a ti en tus buenos tiempos no tiene ni la más remota idea de lo que es la indeclinable vocación de divinidad.) Y no se trata de que mi hermano y yo, como tantos otros niños, creyéramos tener la mejor de las madres (que pudiéramos tener el mejor de los padres, allí estabas tú para evitarlo, no se nos ocurrió jamás), sino de que, en el pequeño mundo que nos envolvía, era aceptada como dogma, y papá era el primero en proclamarlo (no hubieras podido ser tan divina sin un tan entregado sumo sacerdote) tu inefable excelsitud.

Eras la más alta, la más rubia, la de ojos más claros (yo nací rubia, pero enseguida degeneré en castaña, tenía los ojos pardos y, a pesar de pertenecer a una generación posterior y de haber sido alimentada según las normas más estrictas del mejor de los manuales de puericultura alemán, lo cual casi me obligaba moralmente a ello, no llegué a alcanzar nunca tu estatura: siempre faltaron cuatro condenados centímetros). Tan alta eras, y tan rubia, y tan blanca y delicada y preciosísima tenías la piel, y tan azules los ojos y la mirada (una mirada centelleante y terrible que nos podía dejar petrificados, y tú lo sabías y te gustaba) que te tomaban a menudo por extranjera (eso de parecer extranjero, extranjero del norte de Europa se entiende, se cotizaba muchísimo en el ámbito familiar).

Eras también la más inteligente (¿recuerdas que en cierta ocasión, cuando ya éramos adultos, papá se preguntó ingenuamente en voz alta de dónde habríamos sacado mi hermano y yo la inteligencia, y tú lo miraste estupefacta, sin dar crédito a tamaña tontería, y rompimos nosotros dos a reír?). La inteligencia, justo es reconocerlo, no me la negaste nunca, pero establecías y estableces una sutil distinción: yo puedo ser inteligente, pero no soy nada lista, pues existe cierto preocupante desequilibrio en mi mente, por el cual, a pesar de estar bien dotada para el estudio, para el saber abstracto en general, resulto casi oligofrénica para el trato con los demás (¡tan absurdamente propensa a creer que me quieren cuando aseguran que me quieren!) y para el cotidiano vivir. Fuiste también (aunque ya en los últimos años de la madurez –mucho antes de que la enfermedad y la vejez definitiva arramblaran con todo, lo arrasaran todo– y llevada seguramente por el afán de divertir, de sorprender, de seguir siendo el centro de cualquier reunión cuando era ya de hecho inevitable que dejaras de serlo, te habituaste a repetir unas mismas historias, que habían perdido gracia y sabor, y comenzaste a hablar en un tono de voz demasiado elevado), la más brillante, la más ocurrente, la más ingeniosa; que tu ingenio mordaz desembocara a veces en el más despiadado de los sarcasmos no parecía alterar a nadie (salvo a quien los padecía y se debatía inerme en el más atroz de los ridículos), rodeada tú siempre, como estabas, por una devota corte de admiradores incondicionales, dispuestos a reír tus salidas y a ignorar tus excesos, todos ellos varones, puesto que –y no es la menos importante de tus limitaciones– no has sido capaz de establecer nunca, sin duda porque no te ha interesado –sólo entre varones te sientes cómoda, te sientes entre tus iguales– un vínculo de afecto importante con otra mujer, comenzando por tu madre y terminando en tu nieta.

De la guerra civil no conservo apenas recuerdos propios, y ninguno en el que aparezcas tú, pero hay dos anécdotas que has repetido, ante propios y extraños, hasta la saciedad, y que cobran por eso mismo carácter emblemático. Primera anécdota: un día paseas tú por la calle conmigo, metida yo en un cochecito de bebé y ataviadas las dos con sencillez extrema, pero un grupo de mujeres obreras, tú dices que de la FAI, nos acosa y nos pone en fuga al grito amenazador de «¡aún quedan fascistas!». Segunda anécdota: en casa de mi abuela paterna, donde nos hemos refugiado huyendo de los bombardeos del centro de la ciudad, no hay apenas nada que comer, sufrís todos un hambre atroz y todos devoran lo que encuentran –sucedáneos de tortilla, hierbajos que habitualmente se destinan a los conejos, papillas de harina, garbanzos agusanados–, pero mi madre no: tú prefieres perecer de hambre a engullir semejantes porquerías, y estás rozando ya el límite de la invisibilidad a fuerza de flacura, cuando consiguen un día para ti un huevo de verdad, de los que ponen las escasas gallinas que aún siguen con vida, y te lo sirven en la mesa (están al borde de la inanición, pero en la casa hubo siempre una criada fiel que servía la mesa y mi abuela no dejó de salir un solo día a la calle con un montón de medallas religiosas de oro colgadas al cuello), pero, ante la general consternación, no eres capaz de pasar bocado y el huevo queda en el plato. Moraleja: ¡por más que se disfrace de mendiga y viva en condiciones miserables, una princesa genuina –basta pensar en la princesa del guisante– sigue siendo siempre una princesa!

Si de los años de la guerra no conservo recuerdos tuyos, los años de la posguerra están llenos de ti. Conducías el coche –eso decían todos– tan bien o mejor que cualquier hombre, nadabas un crol impecable, de competición, que ignoro dónde habrías aprendido, metida en un bañador negro de punto, ajustado a la piel, sin falda ni adorno alguno, que ninguna otra de las mujeres de la playa se hubiera atrevido a llevar, y, en la escuela para señoritas a la que te habían enviado unos años, no muchos, no habías aprendido, era evidente, a hacer un dobladillo o a zurcir un desgarrón (aunque te encantaba y te encanta agarrar unas tijeras y cortar o descoser a mansalva), no habías aprendido tampoco –ni en el colegio ni en la casa de tus padres– a freír un bistec o hervir unas verduras (muchos años después me comentarías con toda seriedad respecto a una interina que sustituía por un día a la cocinera enferma: «Le he pedido una tortilla y le ha salido bastante mal, pero, claro, hacer una tortilla debe de ser muy difícil...»). Limitabas tus habilidades culinarias a dos manjares; uno lúdico y transgresor: hervir al baño María un bote grande de leche condensada y zampárnoslo luego entero –tú, mi hermano y yo– a cucharadas; otro casi mágico: un arroz hervido durante veinte minutos de reloj –amante tú de los relojes como objetos y fanática de la puntualidad, incluso ahora que pierdes a veces la noción del transcurrir del tiempo, incluso ahora cuando, colgados de la pared o distribuidos encima de los muebles, están todos tus relojes parados o marcan una hora equivocada– sin otro condimento que un puñadito de sal, un chorro de aceite y un par de ajos, capaz de sanar todos los males, incluidos los del alma, y me pregunto si también mi hermano, ahora tan gourmet, habrá afrontado de adulto las desdichas del humano vivir parapetado tras enormes platos de arroz hervido. Pero lo cierto es que saliste del colegio, o de la academia de idiomas, en cualquier caso de la casa de tus padres, con un buen francés (las tres hermanas leíais en idioma original a Balzac, a Zola, a Voltaire, que figuraban en la biblioteca del abuelo, y no deja de ser insólito que tres burguesitas de la época leyeran a unos autores que figuraban en el índice de libros prohibidos por la Iglesia; ¡Dios mío, lo que hubieran pensado y dicho, caso de saberlo, los miembros de la encopetada y ultraconservadora familia de papá!, sobre todo la abuela y el tío monseñor que, cuando acudió a vuestra primera casa para bendecirla, anduvo buscando inútilmente por las paredes o sobre algún mueble un cuadro o una figura del Sagrado Corazón, hasta que lo condujiste tú ante una lámina de una cabeza de Cristo pintada por Leonardo, aunque segura-

81

mente ya barruntaban que no eras para uno de los suyos la pareja ideal y que no ibas a cumplir las normas del *Libro de la perfecta casada* que te regalaron, aunque no hubieran podido creer jamás que tampoco mi padre creía ya en Dios cuando se casó contigo), y con un inglés aceptable (más adelante, a partir de fragmentos dispersos oídos en el transcurso de las clases que la Fräulein nos daba a los niños, llegarías a entender algo el alemán).

Cuando –por razones que sólo a medias sospecho, a pesar de haberme interrogado sobre ellas buena parte de mi infancia y de mi adolescencia y de haberte interrogado a ti después– accediste a casarte con papá, pintabas al óleo y a la acuarela, repujabas con habilidad el cuero y el metal, trenzabas alfombras de nudos (recientemente nos mostró mi hermano en una revista que rememoraba el diseño de los años treinta, la alfombra que tú copiaste sin duda de una revista de la época y que estuvo durante años en nuestra sala de estar), decorabas con gracia objetos de cristal, habías leído más libros que nadie a quien yo conociera (en casa había una biblioteca de verdad, formada por libros que se habían leído, no por las enciclopedias y las obras completas impresas en papel biblia y encuadernadas en piel que encontraba en las casas de los amigos), y disponías sin lugar a dudas de más historias que contar –y lo hacías mejor– que ninguna otra mujer desde Sherezade, y a ti no te hubiera llevado mil y una noches conseguir que el más misógino de los sultanes te perdonara la vida y te convirtiera en su reina. No cumpliste varias de las funciones que se asignan comúnmente a las madres, pero colmaste nuestra infancia de arrobas de leche condensada al baño María y de todo un mundo mágico de relatos maravillosos.

Me ha resultado arduo llegar a entender a medias, y a medias perdonarte (y estoy segura de que a ti ni se te ocurre que pueda haber algo que perdonar), que, cuando no habías cumplido todavía veinte años y eras por varios pretendientes simultáneamente cortejada (papá, que sabía pocos cuentos –en su casa sólo debían de escucharse relatos evangélicos y vidas de santos–, pero que estaba absolutamente empeñado en convertirte en un mito, nos daba una explicación de vuestro noviazgo que me hacía pensar en el tercer hermano, el más bobalicón o el más inocente, de los cuentos de hadas, que termina por conseguir, ante el pasmo general, la mano de la hija del rey, o en el Sigfrido de las leyendas germánicas, que conocía yo a través de los clásicos Araluce, que arrebata a la Valquiria de su lecho en llamas), condescendieras, por muy harta que estuvieras de la rígida disciplina de la casa paterna (leíais a Voltaire pero a las hermanas no os dejaban dar un paso) y por muy grande que fuera tu ingenuidad respecto a lo que la vida en pareja significaba, a comprometerse en matrimonio con nuestro padre, que podía ser el mejor de los hombres y un magnífico partido, que podía haber seducido a tu familia entera (a todos menos a ti) y que te amaba sin lugar a dudas profundamente, pero al que tú no querías. ¿Eras consciente entonces, o lo has sido después, de que sobre este punto no nos dejaste a mi hermano ni a mí, desde muy pequeños, la menor sombra de duda, el menor resquicio de esperanza, ya que, si bien no discutíais casi nunca en nuestra presencia, ni mucho menos os levantabais la voz, ni os desautorizabais el uno al otro –siguiendo a rajatabla, imagino, las normas del mejor libro de puericultura alemán, del más moderno, del mismo modo que habías seguido con precisión, perfeccionista tú en todo, las normas que dictaba para nuestra higiene y nutrición–, hiciste siempre evidente, dejaste clarísimo, sobre todo con tu actitud, pero también sin rebozo con tus palabras, que tú a papá no lo habías querido nunca –no me refiero, claro está, a que no le tuvieras cierto afecto, sino a que no le querías como puede querer a un hombre una mujer– en ningún momento del pasado, no lo querías entonces, ni –era un iluso si había alimentado esta esperanza– existía la más remota posibilidad de que lo quisieras en un futuro?

¿Eres consciente de que durante toda mi vida te he visto desvalorizar de modo sistemático cualquier cosa que fuera de mi padre, que hiciera él, que se relacionara con él –tan obstinada en menospreciarle como él en a ti mitificarte–, y de que lo has llevado a cabo con un encono creciente, a medida que el paso de los años te hacía más dura, más frustrada, más amarga? ¿No reparaste nunca –tú, a quien no escapaba nada, medio bruja en adivinar lo que sentíamos, lo que hacíamos– en que a mi hermano y a mí se nos encendían los ojos, se nos caía la baba, cuando veíamos que otras parejas casadas se hacían una caricia espontánea, se enlazaban por los hombros o la cintura, se besaban en la boca? ¿De veras, mamá, pudiste siquiera fantasear que mi hermano y yo te íbamos a estar nunca agradecidos por el hecho de que no le abandonaras? ¿Crees que, al lado de ese implacable desamor, podía importarnos lo más mínimo que tuvieras cien o uno o ningún amante, y que lo vivieras a la vista de todos o con cuidadosa discreción?

Pero si me ha resultado difícil llegar a medio entender todo esto (medio entenderte a ti, porque papá murió siendo para mí un misterio insondable), tampoco me es fácil explicarme por qué motivo –no pudo ser sólo pereza– renunciaste, después de la boda, a todas tus actividades, dejaste de lado todas tus aficiones, salvo la lectura. (Había en casa obras de tus manos: una buena copia de *La lección de anatomía*, que colgaba encima de la mesa del despacho de papá, una arqueta repujada de metal donde solías guardar las facturas, un juego de copas para helado decorado con motivos geométricos, la alfombra de la sala de estar, pero todas estaban ya allí antes de que yo naciera.) Y no abandonaste tampoco unas actividades a fin de sustituirlas por otras, porque tu labor de ama de casa (al margen de reemplazar unos muebles por otros, cambiar de la noche a la mañana la distribución de las habitaciones, abrir puertas donde no las había y derrumbar tabiques) se ha limitado siempre a tomarle la cuenta de la compra a la cocinera (a las sucesivas cocineras que te habrán hecho, unas más y otras menos, las cuentas del gran capitán, porque no has tenido nunca ni la más remota idea –y yo tampoco, a qué negarlo– de lo que podía valer un kilo de tomates, un litro de aceite o un limón –apuesto a que ni sabías a qué precio iban los botes de leche condensada– y te has sentado siempre a la mesa ignorando lo que nos iban a servir) y, hasta hace muy poco, hasta que has hecho dejación de todo para caer en un abandono total, a lavarte por las noches en el lavabo las medias y las bragas y tenderlas en el toallero a secar. Dos actividades cargadas tal vez de un alto valor simbólico, pero que te ocupaban poquísimo tiempo. He conocido muchos casos de talentos desperdiciados, de energías agotadas en la nada, sobre todo talentos y energías de mujeres, sobre todo de mujeres de tu generación, pero entre todos te llevas tú la palma.

En el limitado mundo de mi infancia imperaba pues la convicción de que todo cuanto hacías –que en algún momento empecé a sospechar era muy poco– lo hacías mejor que nadie. (La exigencia de perfección y la prohibición absoluta de en ningún caso mentir eran puntos en los que papá y tú coincidíais sin tener que consultar el manual de puericultura alemán, y si el primero nos ha condicionado mucho, para bien y para mal, a mi hermano y a mí, el segundo nos ha creado un cúmulo de situaciones disparatadas y engorrosas.) Pero además tenías un modo peculiar, muy tuyo, de hacerlo. Te gustaban –te han gustado siempre– las pequeñas transgresiones. ¿Recuerdas que en la primera comunión de mi hermano, cuando todas las mamás iban ensombreradas, tú (tan poco hispana y tan poco religiosa, porque creías, o jugabas a creer, en las hadas, en las ninfas de los arroyos, en los traviesos gnomos que estropeaban y escondían los objetos del hogar, hasta, si me apuras mucho, en los fantasmas, pero no en el Dios severo y aburrido de los cristianos, tal vez, un poco más, en los hermosos dioses de la mitología griega, que vivían tan fabulosas aventuras, o en las divinidades de la mitología germánica, que figuraban en las óperas de Wagner —sí, mamá, tú sabías quién era Sigfrido y quién era Gunter y lo que le aconteció a Brunilda, otra malmaridada, aunque saberlo no te había servido de mucho—), compareciste con una espléndida mantilla de blonda que provocó el estupor de la concurrencia y el entusiasmo del cura y de las pacatas maestras del colegio (ya no era el Colegio Alemán), que entendieron tu gesto al revés. Muy elegante en el vestir, no seguías a pies juntillas los dictados de la moda, sino que rescatabas elementos del pasado y los mezclabas con otros de tu invención que a veces se ponían de moda en el futuro: de hecho toda la ropa que tenías era magnífica y casi nunca desechabas nada, guardabas las prendas con cuidado, para hacerlas reaparecer, modificadas o combinadas de otra forma, en el momento oportuno. Te gustaban las pieles, y tenías abrigos, chaquetas, estolas, pero no solían ser las pieles habituales, y, en los casos en que sí lo eran, lo insólito de la confección las hacía difícilmente reconocibles (¡cómo te has burlado siempre de esos abrigos de visón, anchísimos y largos hasta los tobillos, para que duren toda la vida y no pasen de moda, pero que por lo mismo no están de moda nunca!). Tus sombreros los confeccionaba una exiliada —de nombre difícil de recordar y poseedora de dos magníficos y fieros pastores alemanes, que había que encerrar cuando había otras clientas, pero no si estábamos solas en el probador tú y yo—, siguiendo punto por punto las instrucciones que tú, sentada ante el espejo del tocador, los dos hermosos perros tumbados dóciles a tus pies, reposando a menudo sus hocicos sobre uno de tus pies, como en una figura decó, le ibas dando, y que hacían brotar, desaparecer, superponerse, agruparse de modo distinto sobre tu cabeza, plumas de aves exóticas, flores multicolores, broches y agujas de bisutería, lazos de tul, de seda, de terciopelo, aunque en la opción final entraban casi siempre pocos elementos.

Encontré hace unos años en el aeropuerto de Londres a la hija de tu sastre –a la que no reconocí, pero que sí me reconoció a mí– y me estuvo describiendo el revuelo que se armaba en el taller cuando tú llegabas, el sastre y las oficialas nerviosas por miedo a no haber acertado en lo que deseabas, las aprendizas inventando pretextos para salir al pasillo y mirarte a hurtadillas, amedrentadas y fascinadas –¡de modo que no era yo la única en amedrentarme y fascinarme!– ante tu figura esbelta y erguida, la ropa impecable y personal, los zapatos hermosos pero sin apenas tacón, las manos bellísimas y cuidadas pero con las uñas sin pintar, el rostro –no propiamente hermoso, porque siempre has señalado, y con razón, que no eres una mujer guapa– apenas sin maquillaje.

Y de nuevo me sorprende tu rapidez: que el cuidado de tu persona te haya ocupado, como cualquier otra actividad, tan poquísimo tiempo (de ahí lo insoportable, lo monstruoso de la lentitud y la torpeza, casi la invalidez, a que te ha condenado estos últimos años la enfermedad, lo abominable de tu decrepitud y de tu abandono). Salir de compras con una de mis tías, con la tata, con la madre de alguna amiga, significaba una tarde entera –y pienso que en el fondo no les contrariaba, todo lo contrario, ocupar así el tiempo en actividades vanas o imaginarias, lo cual les permitía (a ti, no) sentirse útiles y hacendosas y lamentarse incluso de exceso de trabajo– de lidiar con las dependientas, hacerles llenar el mostrador de género, sacado incluso, a regañadientes, del escaparate, manosearlo, asomarse a la puerta de la calle para averiguar el color exacto a la luz del día, quejarse del precio, para regresar en ocasiones a casa sin haber adquirido un alfiler y aplazándolo todo hasta la tarde siguiente. Salir de compras contigo me sumergía en un vértigo gozoso (y creo que el placer se debía en gran parte a las pocas ocasiones que tenía de estar en tu compañía, porque supervisabas nuestra educación –nos habías enviado, pese al rasgarse de vestiduras de mi abuela paterna y de mi tío el monseñor, que veían confirmadas así sus peores sospechas, al Colegio Alemán, donde regía la coeducación y no se nos impartía otra educación religiosa que las clases preparatorias para la primera comunión; y elegías con cuidado a las señoritas que se ocupaban de nosotros, a las profesoras particulares, a los médicos– pero nos dedicabas poco tiempo): acompañarte al peletero –un judío pequeñito que, ignorando imagino tus simpatías por los nazis, sacaba para ti las mejores piezas y aseguraba dejártelas a buen precio por el placer y sobre todo la publicidad que significaba para él que tú las lucieras–, al modisto –donde adquirías por sumas muy bajas algunas de las prendas, prácticamente nuevas, que habían exhibido un par o tres de veces las modelos en la pasarela y que se ajustaban sin retoque ninguno a tus medidas–, a la sombrerera húngara de los perros hermosos y feroces –que sólo podías acariciar tú, y yo por delegación–, a tu joyero, que se divertía diseñando contigo joyas exclusivas, inspiradas a veces en otras que habíais visto o que aparecían en una revista extranjera, porque si en casa podía despertar uno por la mañana y encontrar trastocada la colocación de los muebles del comedor, o podías regresar una tarde y descubrir que había desaparecido un tabique o que la puerta de tu dormitorio no ocupaba su lugar habitual, también las joyas sufrían en tus manos, con la colaboración de tu joyero, modificaciones constantes, y los brillantes de unos pendientes de tu abuela pasaban a un broche decó, o las esmeraldas de una pulsera a una gargantilla, mientras las múltiples hileras de perlas, de distintos orientes, formas y tamaños, agotaban en torno a tu garganta todas las combinaciones posibles. Salir de compras contigo me sumergía en un vértigo gozoso: sabías lo que querías y dónde buscarlo, y te bastaba una ojeada para decidir si lo que nos mostraban se ajustaba o no a tu deseo, los dependientes te salían al paso en cuanto trasponías el umbral de la tienda, y con frecuencia salía el dueño o el encargado para atenderte personalmente. No sé si a ti te parecía normal que, aun en tiendas nuevas o en las que ponías por primera vez los pies, te instaran a llevarte cuanto quisieras, dejándolo a deber (lo cual tú nunca aceptabas, porque debía de vulnerar ese código arbitrario pero estricto por el que se ha regido siempre tu conducta), o que se brindaran a enviarte a casa, para tu mayor comodidad, compras insignificantes que te cabían casi en el bolso, pero yo sabía bien que eso no ocurría así con ninguna de mis tías y con casi ninguna de las madres de mis amigas. Y es que fuiste durante años, muchos (no andaban erradas las mujeres de la FAI que nos pusieron en fuga), una gran señora. Y eso no se debía a que hubieras nacido en mejor cuna, porque en la misma habían nacido tus hermanas, y bastante más encopetada era la familia de papá o de muchas de las personas que tratabais.

Tú eras una madre distinta y a mí me encantaba casi todo el tiempo que lo fueras, aunque podía resultar engorroso que en casa imperaran costumbres insólitas (y no era la menos inquietante que ni papá ni tú fuerais los domingos a misa), y que te obstinaras en que yo –una cría del montón, algo gordita y con gafas antes de cumplir los tres años– llevara el pelo corto, a lo paje (me lo cortaba tu peluquero francés), cuando las otras niñas lucían sin excepción trenzas o tirabuzones o melenas onduladas (sólo el día del bautizo de mi hermano, tú todavía recluida en cama, pudo hacerme a escondidas una de tus hermanas, con un cabello que no debía de ser en aquel momento demasiado corto, un proyecto de tirabuzones), y que idearas para mí prendas de vestir insólitas, un punto más deportivas de lo habitual, supongo que elegantísimas, pero que me diferenciaban dondequiera que iba, en unos años en que mi máxima aspiración era integrarme en los grupos y pasar inadvertida, y dentro de las cuales (basta ver la cara de desdichada que tengo en las fotografías) moría yo de vergüenza y de incomodidad (recé durante todas las noches de un curso a la Virgen Santísima para que a la mañana siguiente no lloviera y no nos plantificaran a mi hermano y a mí unas capitas impermeables a cuadritos, que no sé de dónde demonios habrías sacado y que me convertían en el hazmerreír de la clase).

Cierto que en algunos momentos hubiera preferido una madre corriente, más convencional, que me diera a veces unos buenos cachetes (tú me diste únicamente cuatro bofetadas, y el hecho de ser sólo cuatro las hizo más terribles e inolvidables, y seguro que no me las diste arbitrariamente, en un arranque de impaciencia y malhumor del que pudieras arrepentirte luego, sino porque creíste que era lo indicado, como era asimismo lo adecuado que una decisión tomada no se modificara ya jamás, o que nunca, nunca, por ningún motivo, se levantara un castigo), una madre que nos protegiera de las iras de mi padre (que en este caso no las había), que se solidarizara con nosotros, ante los profesores, ante el servicio, ante los compañeros, incluso cuando no lleváramos razón, una madre que suspendiera en nuestro caso todo juicio crítico y nos considerara extraordinarios, que se nos comiera a besos (la mera idea de que tú pudieras comerte a besos a nadie resulta un disparate; ni siquiera con tu hijo, al que has querido y quieres más que a nadie, ni siquiera con tus perros favoritos, a los que has exigido una fidelidad y una obediencia sin límites, una devoción monstruosa y total, monoteísta, te he visto nunca desbordando afecto, te he visto de veras cariñosa; quizá, en algunos momentos fugaces, ante una camada de cachorros), pero fuiste una madre seductora y yo literalmente te adoraba. (Papá te adoraba, mi hermano te adoraba, el servicio –al que no permitías la menor familiaridad y que mantenías siempre en su lugar– te adoraba, te adoraba la modista y el peletero y la sombrerera y los profesores del colegio, te adoraba tu corte de amigos, y el hecho de que tus hermanas y la familia de mi padre y algunas de las mujeres de vuestro grupo te censuraran con acritud no hacía más que fortalecer el mito.)

¿Qué ocurrió después, mamá? A menudo preguntas o aventuras en qué momento, a qué edad, dejé yo de quererte, y dejó de quererte mi hermano y han dejado de quererte mis hijos, porque al parecer, tú así lo dices, hemos dejado, antes o después, todos de quererte (aunque preguntas siempre el cuándo, pero nunca el porqué, como si se tratara de un fenómeno debido a nuestra malevolencia u obedeciera a un proceso natural e irreversible, algo, en cualquier caso, que no tuviera nada que ver contigo ni con tu actitud). Y tal vez aguardas que yo responda que sí dejé efectivamente de quererte en tal o cual momento, o que asegure que no he dejado de quererte nunca. Y yo no respondo nada, porque no lo sé: no sé a qué edad dejé de quererte, no sé si he dejado de quererte nunca. No sé en qué preciso momento algo se echó a perder en nuestra relación. Era inevitable que tu mito, como todos, sufriera un deterioro, no sólo porque mis ojos adultos no podían verte como te habían visto mis ojos de niña, sino porque tantos años hueros (tiene gracia que te irriten los días festivos y que desapruebes los puentes que hacemos en la oficina: tú que no has trabajado en nada ni uno solo de los días de tu vida), tantas capacidades desperdiciadas, tantas energías moviéndose en el vacío y desembocando en crisis de jaqueca o de nervios, te han ido sumergiendo en una pereza creciente y te han conducido a un egoísmo tan brutal que tal vez no sea ya egoísmo y habría que inventar otra palabra para nombrarlo. Pero si nuestra relación se quebró, si en algún momento de la adolescencia me enfrenté a ti y no bajé durante tantos años la guardia, no fue por nada que me dijeras, me hicieras, me dejaras de hacer, por nada que dijeras, o hicieras, o dejaras de hacer a otros. Fue porque comprendí −en una súbita revelación que debía de haber madurado largo tiempo en secreto en mi interior− que nunca (y, en cuanto se relaciona contigo, «nunca» es un nunca sin paliativos ni esperanza), por mucho que me aplicara, lograría tu aprobación. Aunque llegara a ser tan elegante y tan seductora y tan señora como tú, aunque obtuviera el que te pareciera a ti el mejor de los maridos, aunque tuviera unos hijos de lujo (altos y rubios y con ojos claros, hijos que parecieran extranjeros), aunque llegara a superar tu crol y a ser campeona de natación, aunque escribiera mejor que Cervantes y pintara mejor que Rembrandt, aunque consagrara la vida entera a conformar la imagen que tú habías fantaseado de mí, no iba a conseguir jamás tu aprobación: estaba descalificada de antemano, y por consiguiente el único modo de afirmarme y de no sucumbir era enfrentarme a ti. Pero descubrí algo todavía más grave y por igual irreversible, y era que tampoco nunca, por mucho que nos esforzáramos, ibas a permitir que te hiciéramos feliz (ni siquiera íbamos a verte contenta, ¿sabes que intento evocar un momento en que estuvieras contenta, de veras contenta, y no encuentro ninguno?). Es paradójico que gustándote tanto a ti misma y sin tener la más remota idea de lo que pueda ser un sentimiento de culpa, no hayas sido ni medianamente feliz. ¿Y qué relación cabe mantener, mamá, con alguien que nunca va a darnos su aprobación y no va a permitir nunca que le hagamos feliz?

Esta noche he vuelto a soñar –ocurre a menudo– que estaba en vuestra casa, en la casa que construiste a tu medida, y tú estabas también allí –sentada en el gran sillón de terciopelo verde donde leías horas y más horas, encendiendo en la chimenea de la biblioteca un fuego disparatado, que a punto estuvo en más de dos ocasiones de provocar un incendio, de pie ante el armario de tu vestidor, dejándome oler tu perfume, mostrándome las joyas de la abuela, que a mí me gustaban tanto y que ibas a destruir para crear otras nuevas–, y me han invadido tantos y tantos recuerdos, y pienso que hubiera podido establecer aquí una larga lista de agresiones y de agravios, que tal vez comencé esta carta con la intención de convertirla en un ajuste de cuentas, pero he descubierto que los agravios y las agresiones, si existieron, han dejado hace mucho de importarme, que hace mucho también que sin ser consciente de ello he bajado ante ti la guardia, que la historia —a pesar de que sigamos las dos con vida— se ha cerrado, ha concluido, que ha bajado definitivamente el telón y estamos definitivamente en paz.

Cristina Peri Rossi

Primer amor

Cristina Peri Rossi (Montevideo, 1941) es poeta, cuentista y novelista. En 1972 se exilió a España, y desde entonces vive en Barcelona. Es autora de las novelas *El libro de mis primos* (1969), *La nave de los locos* (1984), *Solitario de amor* (1988) y *La última noche de Dostoievski* (1992) y de varias colecciones de relatos: *Los museos abandonados* (1968), *Indicios pánicos* (1970), *La rebelión de los niños* (1980), *El museo de los esfuerzos inútiles* (1983), *Cosmoagonías* (1988). Uno de sus libros de poemas, *Babel bárbara* (1991), obtuvo el Premio Ciudad de Barcelona.

La primera vez que me declaré a mi madre, tenía tres años. (Según los biólogos, los primeros años de nuestra vida son los más inteligentes. El resto es cultura, información, adiestramiento.) Yo tenía propósitos serios: pretendía casarme con ella. El matrimonio de mi madre (del cual fui un fruto temprano) había sido un fracaso, y ella estaba triste y angustiada. Los animales domésticos comprenden instintivamente las emociones y los sentimientos de los seres y procuran acompañarlos, consolarlos: yo era un animal doméstico de tres años.

El escaso tiempo que mi padre estaba en casa (aparecer y desaparecer sin aviso era una forma de poder) discutían, se hacían mutuos reproches y por el aire –como una nube negra, de tormenta– planeaba una oscura amenaza. En cambio, mi madre y yo éramos una pareja perfecta. Teníamos los mismos gustos (la música clásica, los cuentos tradicionales, la poesía y la ciencia), compartíamos los juegos, las emociones, las alegrías y los temores. ¿Qué más podía pedirse a una pareja? No éramos, por lo demás, completamente iguales. A los tres años yo tenía un agudo instinto de aventura, del que mi madre carecía (o el matrimonio le había anulado), y un amor por la fauna y la flora que a mi madre le parecía un poco vulgar. Aun así, me permitió criar un zorro, un malhumorado avestruz y varios conejos.

Pero a diferencia de mis progenitores, mi madre y yo, siempre que surgía un conflicto, sabíamos negociar. Cuando me encapriché con un bebé de elefante, en el zoo, y manifesté que no estaba dispuesta a regresar a casa sin él, mi madre me ofreció, a cambio, un pequeño ternero, que pude criar en el jardín trasero. (Sospecho que mi padre se lo comió. Un día, cuando me desperté, el ternerito ya no estaba pastando en el césped. Mi padre, ese día, hizo asado.)

Mi madre escuchó muy atentamente mi proposición. (Siempre me escuchaba muy atentamente, como debe hacerse con los niños.) Creo que se sintió halagada. El desgraciado matrimonio con mi padre la hacía sentirse muy desdichada, y necesitaba ser amada tiernamente, respetada, admirada; comprendió que todos esos sentimientos (más un fuerte deseo de reparación) yo se los ofrecía de manera generosa y desprendida, como una trovadora medieval.

Después de haber escuchado atentamente mi proposición, mi madre me dijo que ella también me quería mucho, que era la única alegría de su vida, más bien triste, y que agradecía mi afecto, mi comprensión y todo el amor que yo le proporcionaba. Me parecieron unas palabras muy justas, una adecuada descripción de nuestra relación. Ahora bien –me explicó mi madre–: nuestro matrimonio no podía celebrarse, por el momento, dado que yo todavía era muy pequeña. Era una razón que yo podía comprender. Mi madre era una mujer bellísima (tenía unos hermosos ojos «color del tiempo». La descripción la encontré, años después, en una novela romántica de Pierre Loti), inteligente, culta, aunque frágil y asustada. Yo estaba dispuesta a protegerla (algo que mi padre no había hecho), aunque yo misma estuviera asustada muchas veces: el amor es generoso. También estaba dispuesta a esperar todo el tiempo que hiciera falta para casarnos.

Siempre le agradeceré a mi madre que me hubiera

dado esa respuesta. No desestimó mi proposición, no me decepcionó, sino que estableció un motivo razonable y justo para posponer nuestra boda. Además, me estimuló a crecer. Desde ese día, intenté comer más (era bastante inapetente), acepté las vitaminas y el horroroso aceite de hígado de bacalao, con la esperanza de acelerar mi crecimiento, y alcanzar, por fin, el tamaño y la edad suficientes como para casarme con ella.

Por entonces, los parientes, los vecinos y todos esos adultos tontos y fracasados tenían la fea costumbre de preguntar a los niños qué harían cuando fueran mayores. Yo, con absoluta convicción y seguridad, respondía: «Me casaré con mi madre.» Imaginaba un futuro celestial, lleno de paz y de armonía, de lecturas fabulosas, paseos apasionantes, veladas de ópera (mi madre tenía una maravillosa voz de soprano), ternura, complicidad y felicidad. ¿Qué más podía pedir una pareja?

Mientras crecía (más lentamente de lo que yo hubiera deseado), renovaba, cada tanto, la promesa de matrimonio que le había hecho a mi madre. No sabía aún que los trovadores tenían una sola dama (lejana), pero intuía que debía ser así. Un amor eterno, delicado, fiel y *cortés*.

Cuando cumplí los cuatro años de edad, mi madre comenzó a preguntarme, con cierta reiteración, si me gustaría tener una hermana. Confieso que no había experimentado esa clase de necesidad. Me gustaba muchísimo jugar con los animales que conseguía arrastrar hasta el jardín trasero, me gustaba explorar la tierra, como una arqueóloga, me seducía clasificar los objetos olvidados del altillo y me fascinaba hojear los libros de la biblioteca, pero todas eran ocupaciones solitarias, que no compartía más que con mi madre. Cuando le pregunté qué era una hermana, ella me contestó que se trataba de una niña igual que yo. Reflexioné sobre el asunto, y aunque tenía ciertas dudas, contesté que quizás podía probar. No afirmé nada. No tenía la menor idea de cómo se hacían los hermanos y las hermanas, ni si eran provisorios o estables, pero con un pragmatismo nada habitual en mí, deduje que si la supuesta hermana tenía mi capacidad de trabajo y mi curiosidad (mi madre había dicho que sería igual a mí) podríamos, en poco tiempo, terminar de excavar el jardín trasero, donde ya había logrado desenterrar varias piezas inestimables: un viejo trabuco de la Conquista Española, con mango tallado, y una espada de dos filos, que algún soldado italiano del ejército de Garibaldi había perdido por allí.

Entonces mi madre decidió enviarme al campo. No lo decidió sin consultarme (éramos una verdadera pareja): me lo propuso, por consejo del médico, después de una grave enfermedad pulmonar.

Aunque no tenía ganas de separarme de ella, el viaje me seducía. En primer lugar, dispondría de una vieja estación de trenes (inglesa), toda para mí. Mi tío abuelo era ferroviario, dirigía una antigua estación de trenes llena de aparatos maravillosos. Podría usar el telégrafo, dar entrada y salida a los trenes con un silbato, grave y hondo como la sirena de un barco, podría cambiar las vías (con una máquina pesada provista de una gruesa cadena de hierro), podría expender los billetes que se distinguían por sus brillantes colores y ayudaría a embarcar a las ovejas y a los corderos en los enormes vagones de carga. Además, el campo estaba lleno de animales que me interesaba investigar, y si era posible, adoptar; eran animales que no existían en la ciudad: avestruces que ponían enormes huevos moteados, grandes y somnolientos lagartos que se confundían con el polvo del camino, las bandadas de ávidas langostas que nublaban el cielo, zorros rojos, dispuestos, siempre, a robar polluelos, mariposas de espléndidos dibujos de colores, arañas peludas de vientre rosado, sapos, ranas y las inquietas y vivaces nutrias que nadaban y jugaban en el agua de los ríos.

De manera que abandoné a mi madre, por unos meses, y me fui a gozar del campo y de la vieja estación de trenes de los ingleses.

100

Cuando regresé, varios meses después (el campo había resultado mucho más apasionante que la ciudad), mi madre me recibió con la noticia de que, ahora, tenía una hermanita. No me sorprendió: ya habíamos hablado de ello. De la mano, mi madre me condujo hasta el dormitorio, donde ahora había una cuna, y me presentó a la recién llegada.

Miré, con curiosidad, hacia el interior de la cuna. Observé atentamente. No tenía prejuicios, pero tampoco estaba dispuesta a entusiasmarme por algo que no valiera la pena. La beba balbuceó algunos sonidos ininteligibles. Era lo peor que podía hacer ante alguien que amaba el lenguaje como yo. Elevé la cabeza significativamente hacia mi madre, y le pregunté (o casi afirmé):

–¿No habla?

–No –respondió mi madre.

Continué la observación. La beba estaba en posición horizontal, en la cuna, y sus piernas eran cortas y muy delgadas: con esas piernas, difícilmente podría correr a mi lado.

–¿No camina? –volví a preguntar.

–No –respondió mi madre.

La cosa parecía bastante desalentadora. Eché una última mirada hacia ese bulto informe en la cuna, y con una voz ya desesperanzada, hice la última pregunta:

–¿No sabe jugar?

Mi madre, que había aceptado con paciencia mi minuciosa observación, contestó:

–No. No sabe jugar. Es muy pequeña, todavía.

–Entonces, no me interesa –concluí, sin piedad, y me fui a realizar las numerosas tareas que me esperaban en el jardín y en la vida.

El tema hermana quedó zanjado para mí. Contemplaba con cierto desprecio y condescendencia las múltiples y a veces desagradables tareas que exigía su crianza: el cambio de pañales, el lavado de las partes íntimas, la preparación de los biberones. Eran cosas superadas, para mí, y de dudosa utilidad: el tiempo pasaba (demasiado lentamente para mi obsesivo deseo de casarme con mi madre), y el pequeño renacuajo continuaba meándose en la cuna, no hablaba y no sabía jugar. Algo muy lento, y yo necesitaba todas mis energías y mi tiempo para investigar el mundo, ser una trovadora atenta del amor y proteger a mi madre.

A fines de ese año, mi madre me comunicó que debía mandarme a la escuela. El proyecto no me entusiasmó demasiado. Todo lo que quería aprender me lo enseñaba ella, o yo lo averiguaba en mis incesantes exploraciones. Ella me había enseñado a leer, y por lo que sabía, me quedaban muchísimos libros por leer, todavía. Eso prometía una hermosa tarea conjunta, entre ella y yo, tan larga, por lo menos, como nuestro amor. Jamás tendríamos un matrimonio aburrido.

Mi madre me dijo que comprendía mi falta de interés por ir a la escuela, pero –agregó– las leyes del país lo exigían, me dijo. Yo no quería que infringiera la ley por mi culpa. De modo que debía aceptar, con resignación, esta nueva etapa de mi vida. Si era suficientemente grande para ir a la escuela –razoné–, ya podría cumplir el sueño de mi vida: casarme con ella. Así que aproveché la ocasión para hablar de nuestro matrimonio. Me pareció una buena ocasión, porque en las frecuentes y violentas disputas de mis padres, la palabra divorcio aparecía constantemente. Si ellos se divorciaban, como proyectaban, nosotras dos nos casaríamos.

Esta vez, mi madre decidió darme otra respuesta. Admitió que nos queríamos, que teníamos una excelente relación, una reconfortante complicidad, pero había un obstáculo. Pensé en mi hermana. Aunque me resultaba completamente indiferente, era un hecho que mi madre y yo la habíamos adoptado. La llevábamos a nuestros paseos, leíamos en alta voz ante su cuna y yo le regalaba mis juguetes viejos, a pesar de que siempre los rompía. Es más, cuando salíamos las tres a pasear por la ciudad, parecíamos una verdadera pareja: mi madre y yo, casadas, y la beba, el fruto de nuestro matrimonio. El problema era de tipo legal, me explicó mi madre. Del mismo modo que la ley exigía que yo fuera a la escuela, contra mi voluntad, la ley prohibía que una hija se casara con su madre. A la desesperada, pregunté:

–¿Y una madre con su hija?

Tampoco. En esto, la ley era inflexible.

Escuché muy atentamente la explicación. No era una niña atolondrada: frente a cualquier problema, examinaba muy cuidadosamente los factores en juego, las causas, las posibles soluciones, y luego de ese examen, apelaba a la imaginación.

Si la ley impedía nuestro matrimonio, lo único que se me ocurría era cambiar la ley.

–¿Cómo se cambian las leyes? –le pregunté a mi madre, a continuación.

–Es un proceso muy largo, muy lento y complicado –respondió mi madre–. Primero, hay que elaborar un proyecto –me dijo–. Luego, conseguir muchas firmas de apoyo, para presentarlo al Parlamento. Y allí, después de años y años, quizás se considera. Si se considera, hay varias posibilidades. Una, es que no obtenga los votos suficientes de los diputados, por lo cual el proyecto es desestimado. Si consigue la mayoría de la Cámara de Diputados –me explicó mi madre–, pasa al Senado. El Senado se reúne pocas veces, y es enemigo de los cambios, porque sus miembros son gente de edad avanzada. Hay que esperar a que el Senado incluya el proyecto de ley en el Orden del Día. Una vez incluido, el Senado estudia la moción y, si la aprueba (puede no aprobarla, con lo cual la moción también queda desestimada), la remite al Poder Ejecutivo. El Poder Ejecutivo, aun sabiendo que el proyecto de ley fue aprobado por ambas Cámaras, tiene derecho de veto, y puede suspender eternamente la promulgación de la ley, con lo cual todo lo anterior no sirve para nada.

He ahí cómo mi madre me instruyó sabiamente en el funcionamiento de la democracia, sin necesidad de ir a la escuela.

Me pareció un procedimiento demasiado lento, largo e imprevisible para la ansiedad que yo tenía de casarme con mi madre. De modo que, expeditiva, le pregunté:

−¿No hay otra manera de cambiar las leyes?

Me respondió que sí, que había otra manera, que se llamaba la Revolución. Yo había escuchado esa palabra en varias ocasiones, cuando mi madre me había leído algunos capítulos de la Revolución Francesa. Esos capítulos me habían apasionado, me habían convertido en una verdadera republicana, que detestaba a la nobleza frívola, vanidosa y egoísta. Pero, por otro lado, la Revolución Francesa tenía algunos aspectos oscuros y sangrientos que me habían horrorizado.

No le pregunté cómo se hacían las revoluciones: me había dado cuenta de que era algo que necesitaba el sacrificio de mucha gente, era difícil de conquistar, estaba lleno de contradicciones y no siempre terminaba bien.

La ley, pues, impedía nuestro matrimonio. Lo acepté con entereza, pero secretamente dispuesta a realizar todos los esfuerzos para cambiarla, dado que la ley vedaba el cumplimiento del deseo de las personas.

Recuerdo que esa tarde (la de la revelación de la ley como obstáculo del deseo) no me dediqué frenéticamente a excavar la tierra, ni a clasificar insectos y plantas, como solía hacer. Me dediqué a reflexionar muy concentradamente en este nuevo conocimiento acerca de la vida, que mi madre me había aportado: los deseos −aun aquellos que nos parecen los más justos y nobles− pueden chocar contra la ley, y ésta es muy difícil de cambiar.

Este conocimiento, adquirido a edad temprana, fue una de las revelaciones más decisivas de mi infancia, y sus consecuencias duraron toda la vida.

Ahora sabía que no podía casarme con mi madre, aunque creciera, porque había un obstáculo invencible. Tuve que reorganizar mi vida, a partir de esa desilusión, aunque decidí no olvidar el asunto: algo de esta cuenta entre el deseo y la ley quedaba pendiente, y yo no olvidaba las cuentas.

Si no podía casarme con mi madre, como era mi deseo más íntimo, no estaba dispuesta a casarme con nadie de este mundo. Era una jovencita insobornable. Y muy fiel a mis deseos.

Muchos años después, reflexionando sobre este episodio de mi vida, le agradecí mucho a mi madre que no me explicara entonces, cuando tenía tan pocos años, que no podíamos casarnos porque ambas éramos del mismo sexo. No lo hizo porque para mi madre el sexo era algo irrelevante, cuando no desagradable. (Hay que tener piedad y conmiseración por la vida sexual de nuestras madres.) Aunque yo no puedo decir lo mismo, me hizo crecer con la convicción de que, a los efectos del amor, el sexo de los que se aman no tiene ninguna importancia. Como no la tienen el color de la piel, la edad, la escala social o la geografía.

De modo que seguí amando a mi madre, aunque abandoné el proyecto de casarme con ella. También descubrí que podía continuar amándola y amar a otras personas, al mismo tiempo. Ella no siempre lo entendía bien. A veces, cuando la visitaba (ya había enviudado y mi hermana se había casado), insistía en el viejo proyecto de vivir juntas. Yo me defendía diciéndole que estaba enamorada de otra persona.

Ella bajaba la cabeza, con cierta desilusión, y decía:

−Los enamoramientos son pasajeros.

Es completamente cierto. A lo largo de la vida, he tenido muchos amores intensos, apasionados. Después de un tiempo, cuando volvemos a vernos, no somos capaces de tomarnos un café. En cambio, cuando vuelvo a ver a mi madre, la alegría y la ternura son las mismas. Tomamos café, reímos, paseamos, leemos juntas y escuchamos música. No sólo he crecido lo suficiente como para alcanzarla, sino que, a veces, yo soy la madre y ella es la hija. Ha sido nuestra manera particular de cambiar la ley de los hombres.

Ana María Moix

Ronda de noche

Ana María Moix (Barcelona, 1947) empezó muy joven a escribir poesía y relatos. Participó en la célebre antología *Nueve novísimos poetas españoles* y publicó tres libros de poesía entre 1969 y 1972. En 1970 apareció su primera novela, *Julia*, y en 1973, *Walter, ¿por qué te fuiste?* Ha publicado asimismo dos libros de relatos, *Ese chico pelirrojo a quien veo cada día* (1972) y *Las virtudes peligrosas* (1985, Premio Ciudad de Barcelona). En 1995 ha obtenido por segunda vez el Premio Ciudad de Barcelona con *Vals negro*, novela inspirada en la vida de la emperatriz Sissi.

La mujer está de pie, en la esquina de la calle, y, vista desde la otra acera, a la fría luz de la casi madrugada, diríase que la muerte le ha sentado bien: ha distendido sus facciones y, por tanto, ha embellecido un rostro que el duro rictus del hastío de los últimos años de vida había estado a punto de echar a perder.

A decir verdad, cualquier transeúnte que a tan avanzada hora pasara por aquí, reconocería, al observar el rostro de la muerta, que ni siquiera la luz lechosa de las tres de la madrugada, en la esquina de un cruce de calles alumbrado por el estridente parpadeo del rótulo luminoso de la sala de juego de donde la mujer acaba de salir, consigue relacionar la blancura y la delgadez de una cara que siempre fue calificada de fina con la transparencia de lo ya cadavérico. Por el contrario, la palidez de esta amanecida aliviada por las coloraciones de neón juega a teñir de rosa las delicadas mejillas de las que el ondulado cabello blanco −que siempre aspiró a las diversas tonalidades de un suave azul− difuminan la flaccidez de la carne muerta. Es difícil para quien la observa ahora creerla inexistente. Es difícil, quizá porque quien la observa sabe que ella, la mujer que espera en esta esquina, jamás, mientras vivió, creyó que la inexistencia pudiera alcanzarla. Y quien dice inexistencia −y lo dice quien la observa− podría decir −y dice− nada, o muerte. Y lo dice en voz baja, en voz apenas audible, para que no lo oiga ella, la mujer cuyas manos empiezan ya a crisparse apretando el asa del bolso que encierra dineros ganados, o ausencia de los perdidos, en esa sala de juego a cuya salida espera la llegada de ese taxi que no busca, ese taxi que aguarda pero no busca porque sabe que alguien detendrá por ella. Alguien. Siempre hubo −hay, aún ahora, piensa quien la mira desde la otra acera de la calle y sabe que ella, la mujer, también lo sabe y lo piensa− alguien para detener con un gesto el taxi que ella espera.

Desde el otro lado de la acera, ese alguien que mira a la mujer que aguarda de pie en la esquina, piensa que es absurdo, que sigue siendo absurdo a pesar de todo, estar allí, en la calle, a altas horas de la madrugada, para buscar un taxi a una muerta. Y, como otras muchas noches antes de ésta, piensa que debería decírselo, que algún día deberá decírselo: que no puede pretender que viva pendiente de estar aquí, noche tras noche, para buscarle un taxi. Deberá decírselo, pero no hoy. Hoy no se atreve. Piensa que no es el día adecuado: a juzgar por la mirada airada de la mujer, quien la mira desde la otra acera piensa que no, que no es momento idóneo para contradecir sus deseos y provocar más irritación en esa mirada que, desde la esquina, empieza a emitir señales de impaciencia. Es una mirada que ese alguien a quien va dirigida desearía evitar: desearía evitarla ahora, en esta nocturnidad desolada, como deseó evitarla siempre a lo largo de los años de convivencia con la mujer, y como aún desea evitarla cuando, a cualquier hora del día, la siente de repente clavada en mitad del estómago momentáneamente convertido en órgano de la memoria indeseada. Ha necesitado años para comprender que esa mirada −un grito más bien, un aviso de alarma− no está necesariamente dirigida a su persona, o a su conducta en concreto, o, al menos, no siempre, y que es el modo de expresión que la mujer adopta −adoptó siempre− para manifestar su presencia frente a alguien –sea quien sea alguien–, su modo de decir que está aquí, en el mundo. Es así como la mujer se habituó en vida a dar aviso de su presencia, lanzando ese desafío destelleante de ojos, esa descarga de chispas electrizantes que paralizan a quien las recibe. Y es así como la mujer sigue mirando después de muerta, como si quisiera dar a entender que sigue ahí, que contra todo pronóstico elaborado por los vivos respecto a quienes han dejado de existir, ella sigue ahí, está dispuesta a seguir ahí, está decidida a seguir ahí. Hasta... No, no sabe hasta cuándo.

Quien la observa desde la otra acera cree que la mujer no sabe hasta cuándo está dispuesta a seguir ahí, ni por qué. Quien la observa tiene la seguridad de que si se atreviera –y no se atreve, al menos hoy– a preguntarle por qué está dispuesta a seguir ahí esperando un taxi, mejor dicho, esperando que alguien le pare un taxi, la mujer diría que no lo sabe, y que tampoco sabe hasta cuándo piensa seguir dispuesta a seguir ahí. Pero quien la observa sabe también que la pregunta, y la carencia de respuesta, supondrían la peor de las ofensas para la mujer porque la sumirían en un estado que, ni viva ni muerta, pudo ella nunca soportar: el desconcierto. Y quien la observa prefiere recibir la mirada hiriente, terrible de la mujer que aguarda en pie en la esquina de la calle, que verla sumida en el desconcierto. Porque la mirada airada, acusadora de la mujer, deja el aliento y la corriente sanguínea de quien la observa suspensos de un pasmo paralizador que dura sólo unos instantes; pero la visión del desconcierto desbaratando las transparentes facciones de la muerta hasta abismarlas en la total indefensión sería como sentir el avance de un cuchillo en carne viva. Al menos, ésa es la sensación que acusa la observadora nocturna con sólo imaginar, por un momento, que la mujer que aguarda en la esquina cobrara conciencia de no saber por qué está ahí, ni adónde va ni a qué; una sensación de grito exhalado hacia adentro, perforando los

111

centros respiratorios. Es una sensación que quien a estas horas de la preamenecida se encuentra, una vez más, buscando un taxi a una mujer muerta, conoce bien. No en vano la experimentó durante años, cuando la que ahora se enterca en pasear por las calles, cada dos por tres, el cadáver que hace tiempo es, vivía y, de repente, necesitaba que alguien respondiera a su urgente pregunta: «¿Y qué?, ¿ahora, qué?» Una pregunta muda que, dada su desolada absurdidad, no había voz capaz de expresar y que sólo podía rozar la existencia prendida entre las crispadas luminarias de una mirada angustiada.

«¿Y qué?, ¿ahora, qué?» Al otro lado de la acera, quien mira a la mujer que espera, de pie, en la esquina, teme el instante en que la muerta, antes de subir a ese taxi que tarde o temprano ha de llegar, la mire interrogante: «¿Y qué?, ¿ahora, qué?» Aun muerta no comprende que no es pregunta con la que acusar al mundo al que ya no pertenece ni al prójimo con quien, de atenerse a la lógica de la vida y de la muerte, ya no debería mantener relaciones acusatorias ni de ninguna otra índole. Bien es cierto que esta mujer ahora muerta nunca se ha atenido a la lógica de nada y que, en cierto modo, logró contagiar a los suyos −entre ellos a quien la observa− de esa especie de trémula azarosidad que rige las vidas que se desarrollan sorteando las normas más elementales de la existencia por el simple placer... No, quien observa desde la otra acera ha tardado años en comprender, pero ahora lo comprende, que esta mujer a quien la muerte ha embellecido con la suavidad de lo inerte no sorteaba normas ni hizo nada por simple placer. El simple placer no existió para ella. No lo conoció. Pero no se lo dirá. Quien la observa, al otro lado de la esquina, no se lo dirá. Porque sabe que la mujer vivió creyéndose actuar por placer y según su santa voluntad, y que sigue creyéndoselo aún ahora. Aún ahora, piensa quien la está mirado −y la ve, sí, algo más distendida que durante los últimos años de vida−, debe de creer que está aquí esta noche, en esta esquina, esperando un

112

taxi, a la salida de una sala de juego, por placer. Que ha venido por placer, porque ha querido, y que por placer, porque así lo querrá, se irá en ese taxi que, tarde o temprano, ha de llegar y que quien la mira desde la otra acera habrá de pararle. También debe de creer que, una vez más, conseguirá que sea quien la mira desde la otra acera y pare el taxi la que, por fin y respondiendo al terrible «¿y qué?, ¿ahora, qué?», se vea en la obligación de decir al taxista adónde debe dirigirse. Pero una vez más, una noche más, la que la mira desde la otra acera detendrá al taxi, sí; pero, luego, intentará escabullirse, intentará eludir la mirada de la muerta conminándola a pronunciar la dirección que no desea pronunciar, intentará desobedecer.

Lo intentará. Y lo logrará seguramente. Lo conseguirá. Y sin decirlo. Sin decir nada. Sin decir que se niega. Sin decir que está harta de acudir por las noches a esta esquina de calles desiertas para esperar a una madre muerta a la salida de una sala de juego, buscarle un taxi, abrirle la portezuela y verse en la obligación, en el momento de emitir un murmullo con aspiraciones de despedida, de simular desoír la pregunta del taxista respecto al destino del trayecto y no comprender que el silencio de la viajera significa que espera a que sea ella, la que se queda en pie en la esquina de la calle viendo partir el taxi que ha parado, quien pronuncie el nombre del lugar adonde debe dirigirse. No, no lo dirá, no dirá que está harta del absurdo ceremonial nocturno. Hoy no lo dirá. Piensa que deberá decírselo, tarde o temprano deberá decirle la verdad. Pero no hoy. Hoy no es el día adecuado. Quien observa a la mujer sabe que no es el día adecuado para decirle nada que pueda molestarla. La conoce bien. No en vano es, o ha sido, su hija, y sabe, por tanto, qué significa esa media sonrisa de labios prietos y suspiro contenido a punto de exhalar por las contraídas aletas de la nariz. No es el momento oportuno para que la mujer, ahí, de pie, a las tantas de la madrugada, en una calle solitaria, se oiga decir lo que a buen seguro la ofendería. Y no por el hecho de que esté muerta: lo cierto es que el momento oportuno para oírse decir algo sin sentirse ofendida nunca existió mientras estuvo en vida. O, al menos, eso es lo que piensa esa hija que la observa, desde la otra acera de la calle: tan difícil le resulta evocar una imagen del rostro materno que no refleje dolido desacuerdo con el entorno, profundo desagrado o insatisfacción.

No le dirá lo que piensa de tan absurda situación; pero, una vez haya subido la mujer al taxi, no responderá a la mirada interrogante del taxista preguntando dónde debe dirigirse. Nunca lo ha hecho. Ninguna de las noches que, inesperadamente, la madre muerta ha aparecido en la esquina de esta calle, a la salida de una sala de juego, esperando un taxi libre con la pretensión de que su hija, que la observa desde la otra acera, se decida a cruzar, a abrirle la portezuela del coche y a decirle al conductor dónde debe conducirla, ha pronunciado el nombre de esa dirección. Nunca lo ha hecho. Y se propone no hacerlo. Ni esta noche ni ninguna. Aunque el gesto impaciente, incluso despectivo, de la muerta al exigirle esa concesión —así pedía en vida concesiones: con hiriente premura y desdén— la persiga luego durante el día como una amenaza indefinible, provocándole el desasosiego de un castigo por cumplir. A veces, piensa que sería factible cruzar la calle y hablarle. Explicarle que le resulta imposible decirle a un taxista el nombre del lugar adonde debe devolverla a esas horas de la madrugada. Pero ese vuelo de la imaginación la deposita junto al taxi, que ya ha detenido con gesto rápido e incontrolable, haciendo lo que, en ningún momento, ha pensado hacer: abrir la portezuela, entrar, ella, la hija, precipitadamente en el interior del coche, dar la dirección a la que debía conducir a la muerta, volver la cabeza y ver, a través de las lágrimas, por la ventanilla trasera del taxi, la figura de la aparecida, sola en noche de los vivos, tan indefensa como suele verla, noche tras noche, cuando el taxi se la lleva a la noche de muertos y es ella, la hija, quien se queda, de pie en la esquina de la calle, mirando el rostro azulado de la muerta, pegado al cristal de la ventanilla del taxi que se aleja.

En ocasiones ha estado a punto de hacerlo: subir ella, en lugar de la mujer, a ese taxi nocturno a cambio de no tener que pronunciar el nombre de ese destino al que la muerta se supone debe regresar, y a cambio de no ver el rostro macilento de la madre, perdiéndose al final de la calle, pegado al cristal de la ventanilla trasera del coche, con los ojos extrañamente brillantes e iniciando algo así como una sonrisa que, al no realizarse por completo, es como una herida en el rostro transparente, como un cosido de hilo rosa a punto de romperse. En ocasiones, en muchas ocasiones, ha estado a punto de hacerlo; pero siempre, en el último momento, ha superado la repentina tentación, segura de no poder soportar la terrible imagen del dolor de la incomprensión desbaratando para siempre las facciones del rostro de la mujer que está de pie, en la esquina de la calle. Un rostro que el duro rictus del hastío de los últimos años de vida había estado a punto de echar a perder, y al que, ahora, visto desde la otra acera, a la fría luz de la casi madrugada, diríase que la muerte ha sentado bien.

Soledad Puértolas

La hija predilecta

Soledad Puértolas (Zaragoza, 1947) ha publicado hasta ahora seis novelas: *El bandido doblemente armado* (1980), *Burdeos* (1986), *Todos mienten* (1988), *Queda la noche* (Premio Planeta, 1989), *Días del Arenal* (1992) y *Si al atardecer llegara el mensajero* (1995), dos relatos largos: *La sombra de una noche* (1986) y *El recorrido de los animales* (1988), y dos volúmenes de cuentos: *Una enfermedad moral* (1983) y *La corriente del golfo* (1993). En 1993 ganó el Premio Anagrama de Ensayo con *La vida oculta*.

Vivo tan lejos de la ciudad donde vive mi madre que no puedo responder inmediatamente a esta llamada de urgencia. La ciudad donde vive mi madre, he dicho, y es una frase que me suena irreal: apenas vive, mi madre se va a morir. Mi madre se está muriendo en la ciudad lejana, casi inaccesible, hacia la que ahora me dirijo lentamente, en el primer tren que he podido coger, un tren lento, en el que no puedo hacer otra cosa que pensar si llegaré a tiempo, si aún la veré viva.

Sabía que esto iba a pasar, que un día me llamaría mi prima Ángela y me diría que mi madre se estaba muriendo, y yo correría a la estación en busca de un tren que me llevara hasta ella. El único avión que llega a la ciudad de mi madre salió hace unas horas. También sabía eso, que Ángela me llamaría cuando ya no pudiese coger ese avión. Hubiera podido coger un taxi, me digo ahora, pero la resistencia a ponerme en manos de un conductor desconocido me ha impedido pensar en esa posibilidad. Ahora ya no hay remedio.

He pensado algunas veces en esta llamada de Ángela que al fin he recibido, he imaginado cómo me sentiría yo en este largo viaje en tren, acudiendo a despedirme de mi madre desde esta distancia en la que hace años vivo sin que a ella se le haya ocurrido nunca hacerme ningún reproche. Ha aceptado mi vida y la de mis hermanas, ha

119

aceptado que vivamos, todas, fuera de la ciudad donde se está muriendo y donde todas nacimos, y todo lo que nos ha ido diciendo desde allí, desde la casa de nuestra prima Ángela, se ha edificado sobre el silencio, la acusación que nunca formuló: la abandonamos.

Yo, que me acerco ahora tan lentamente a ella, que no sé si aún la veré viva, he sido su hija predilecta, la menor, la que vino cuando nadie me esperaba, seis años después de que naciera Magdalena, la pequeña hasta entonces, la última de cuatro hijas. Todos supieron enseguida que yo sería la hija más querida de mi madre. Me miraba como si yo hubiera sido un milagro, el último milagro de su vida.

De mis cuatro hermanas mayores yo no sabía bien quién era una y quién era otra. Las veía todas iguales en esa casa de mujeres, moviéndose alrededor de la sombra de mi padre, que se me escapa, que no puedo recordar. Aún hoy las miro un poco así, me las imagino unidas, cómplices, intercambiables. Cuando las miraba, yendo de un lado para otro, libres y seguras, establecidas en la casa muchos años antes que yo, no creía que ellas pensaran. Creía que yo, que estaba tan lejos de ellas, era la única que pensaba. No sabía que pensar era algo que todos hacían, que todos pueden hacer. Luego adiviné que también mi madre pensaba, que ella también estaba lejos. En otro lado, pero lejos. Desde su lado, me miraba y sabía que yo estaba pensando, como ella. Nos mirábamos, cada una desde nuestro lado, solas, pensativas.

Pero mi madre y mis hermanas lo habían conocido a él, y yo no podía recordarlo. Al mirarla algunas veces, tan pensativa, me preguntaba si también mi madre lo habría olvidado, si era ya para ella una sombra que se escapaba, que no podía retener. Entonces se quedaría como yo.

Me acercaba a ella, no le decía nada, pero ella al fin me sonreía, me abrazaba, me daba un beso. No sé si llegó a suceder. Sobre todo, la imaginaba pensando y saliendo un poco de sus pensamientos para entrar en los míos

120

silenciosamente, sin que nadie se diera cuenta, sin que mis hermanas supieran que mi madre y yo nos habíamos ido a otra parte, que ya no pertenecíamos a esa familia de mujeres, esa familia sin padre.

No sé si se hablaba mucho de él. Se hablaba de la falta de dinero. Menos mi madre, todas nos lanzamos a trabajar. Poco a poco, siempre buscando trabajo aquí y allá, en el negocio de un tío, en la tienda de unos conocidos, donde fuera. Mi madre miraba a mis hermanas mayores, las primeras que se lanzaron a trabajar, con asombro. Con lo que nos había dejado mi padre no hubiéramos podido vivir. Pero a veces decía que se esforzaban demasiado, que la vida no tenía por qué ser tan dura, que éramos jóvenes. Mis hermanas se encogían de hombros, se ponían el abrigo, se despedían. Les gustaba salir a la calle, traer dinero a casa, encerrarse luego en sus cuartos, hablar por teléfono.

Después el tiempo corrió, se apresuró, nos empujó a todas a abandonar la casa. Las evasiones se sucedieron deprisa, encadenadas. Una hermana se fue y las otras le siguieron, y yo no supe bien quién se había ido la primera, quién la segunda, quién la última. De nuevo las confundí. Se fueron a la vez, y yo me embosqué en el grupo que huía, como si nunca hubiera sido la hija predilecta, la única que no recordaba a mi padre, y no hubiera tenido que distinguirme de mis hermanas y permanecer más tiempo al lado de mi madre. Me asustó quedarme, estaba cansada de tanto pensar. Huí de todo, de las sombras, los silencios, las esperas, los abandonos. Huí y borré las horas tristes y monótonas de esa infancia que habían querido robarme llenándola de amenazas de miseria, de precariedad.

Entonces mi madre empezó a cambiar. Empezó a escuchar a mis hermanas, las crónicas de sus vidas que huían, que volvían, empezó a cuidar de los hijos de mis hermanas, a hablar de ellos. Su silencio había sido invadido, sepultado. Tal vez había dejado de pensar. En cierto modo, yo también dejé de pensar. No hay mucho tiempo para pensar cuando se huye.

Los papeles se habían intercambiado: yo huía y ellas se quedaban. Tantos años de no conocer a mi madre para descubrir de pronto que no quería hacer otra cosa que ayudar a mis hermanas, que estar a su lado. Pero ellas, mientras mi madre las ayudaba y cuidaba de sus hijos, se volvieron a marchar, otra vez de golpe, de acuerdo. No estuve atenta, no seguía de cerca sus pasos, sus llamadas o sus despedidas, pero de repente lo vi: mis hermanas se habían vuelto a marchar. Ya vivíamos todas fuera de la ciudad.

Fuimos a verla unas navidades. Mi madre nos miró con los ojos vacíos, sin mirada, sin pensar en nada, sin poder tomar ninguna decisión, sin voluntad. Los ataques de reuma eran cada vez más largos y más intensos. No tenía planes, no era rica, no podía ser útil para nadie, las tareas de la casa le cansaban, estaba empezando a perder la cabeza.

Ya no podía vivir sola, pero ninguna quería llevársela. Estaban llenas de problemas, mis hermanas mayores: padecían jaquecas, tenían un marido malhumorado, un hijo difícil... Nadie habló de mí, la hermana pequeña, a nadie se le ocurrió que yo pudiera hacerme cargo de mi madre. Yo no contaba, aunque estaba entre ellas, en el cuarto de estar de la casa de mis padres, donde había pensado tanto, donde me había sentido separada del mundo, lejos de los recuerdos que compartían mis hermanas, lejos de la sombra de mi padre que tal vez acompañaba a mi madre. No me ofrecí a hacerme cargo de mi madre. Me quedé allí, muda, escuchando sus opiniones, observando cómo resolvían el futuro de nuestra madre.

—No sabe desenvolverse —dijo una de mis hermanas, cualquiera de ellas—. Nunca ha entrado en un banco, no entiende de cuentas, no es capaz, está perdiendo facultades, no puede cuidar de sí misma.

Buscaron y buscaron. Una residencia, todavía no. Una

enfermera no era bastante. Un turno de enfermeras, demasiado caro. Al fin se habló de Ángela, surgió el nombre de Ángela, nuestra prima. Quién la mencionó, no me acuerdo. Hasta pude ser yo.

Hacía un par de años que nuestra prima Ángela se había separado de su marido, un hombre tiránico y alcoholizado. Hubiera debido separarse mucho antes, pero Ángela perdonaba. Siempre decíamos, escuchábamos: es demasiado buena, tiene demasiado corazón. Al fin, Ángela, cuando sus hijos ya eran mayores y se habían casado, se había decidido: despidió a su marido, lo devolvió a casa de sus padres, que aún vivían. De vez en cuando, lo visitaba, le daba algo de dinero, de lo poco que tenía, la compasiva Ángela. Y allí la teníamos, a mano, dispuesta a hacer favores, con su espíritu de monja, sus dos hijos casados, sensatos, protectores, su marido descarriado y enfermo. Y sin dinero. Ángela podía ser la solución. Quería a nuestra madre. Desde que todas huimos, la iba a visitar muchas tardes.

En aquellas visitas que hacía a mi madre, Ángela hablaba mucho, le contaba su vida a mi madre y luego ella, cuando yo la llamaba por teléfono, me la contaba a mí. Parecía interesada en la vida de Ángela, como antes había estado interesada en las vidas de mis hermanas y de sus hijos. Mi madre hablaba y hablaba de la vida de Ángela, me mareaba con la vida de Ángela.

−¿Quién hablará con ella, con Ángela? Eso es lo primero que hay que hacer −dijeron.

La pregunta se quedó en el aire.

−Podemos ir todas, las cinco.

Me incluyeron a mí por una vez, en aquella misión.

−No, las cinco no −dije−. Es mejor que sólo vayan dos.

Fue lo único que dije en aquel conciliábulo, mi única aportación. No dije, nunca dije: me la llevaré conmigo, yo la cuidaré. Sólo dije que no fuéramos todas a ver a Ángela.

Fueron mis dos hermanas mayores quienes hablaron con Ángela. No se resistió, pero no dijo que a ella también se le había ocurrido. No se le había ocurrido. Cuando la volví a ver, percibí una expresión de sorpresa en sus ojos. No había esperado que su vida hubiera acabado en eso, en convivir con nuestra madre, pero tampoco había esperado que un día se separaría de su marido, que lo devolvería a casa de sus padres, que sus propios hijos le dirían una y otra vez que lo sacara de casa. Ángela se adaptaba a esa vida inesperada, no se paraba a reflexionar, sabía que las reflexiones son demasiado largas cuando hay muchas cosas que hacer.

–Me voy a vivir con Ángela –me dijo mi madre un poco pensativa, también ella un poco asombrada–. Es natural, las dos estamos solas. Y vosotras vivís fuera.

¿Es que ella no podía trasladarse? Hablábamos como si no pudiera salir de la ciudad en la que había nacido. Tal vez había algo de verdad, tal vez nuestra madre sólo existía allí, donde conocía bien las calles, los apellidos, donde todo casaba con sus recuerdos. Pero puede que no, que a ella no le importara no existir para los otros, que le hubiera gustado perderse, no ser nadie. Ya no lo podremos saber.

–Vendré a verte –le dije–, te llamaré.

Y así ha sido su vida hasta ahora. La he llamado, la he ido a visitar, la he visto cada vez más inmersa en la vida de Ángela, todavía con restos de su vida anterior, no se ha desprendido del todo de aquellas obsesiones, los estudios, viajes y enfermedades de sus nietos, pero ahora suenan más remotas, debilitadas. Tampoco, en esta etapa de su vida, me preguntaba nada, no me dejaba hablar.

Colgaba el teléfono. ¿Acaso había esperado poder hablarle?, ¿me dolía otra vez el bullicio en el que se había metido? ¿Cómo podía yo hacerle reproches a mi madre si no me ocupaba de ella, si la había dejado en manos de mis hermanas que la habían puesto, a su vez, en manos de nuestra prima Ángela?, ¿qué derecho tenía yo a esperar que ella se interesara por mi vida, por los largos momentos de tristeza que me ahogan, por este deambular sin meta y sin apoyos?, ¿cómo puedo reclamar su comprensión, su abrazo?, ¿cómo decirle: me dejaste sola, tuve que huir, abandonarte, dejar que ellas decidieran?, ¿por qué no me hiciste un signo, una leve señal? Tal vez ahora no estaríamos así, las dos tristes y separadas, las dos un poco enloquecidas, tú contagiada del hablar incesante de Ángela, yo desasistida, casi desesperanzada. ¿Por qué dejé de ser tu hija predilecta? ¿Qué ayuda puedo pedirte a estas horas? ¡Si pudieras escucharme, volver a quedarte callada como yo te veía en la infancia, pensando hacia dentro, cuando creía que pensar era algo que sólo hacíamos tú y yo, sin que la sombra de mi padre no recordado se interpusiera entre nosotras, sin que los pasos apresurados de mis hermanas por los pasillos, lejos de nosotras, ajenos, siempre en busca de trabajo y de dinero, nos distrajeran, nos perturbaran lo más mínimo en aquel único momento en que las dos pensábamos lo mismo, o simplemente pensábamos a la vez, una al lado de la otra!

Pero ya se ha hecho muy tarde. Quizá haya que darlo todo por perdido, aceptar la cadena de silencios que nos ha ido envolviendo. Pienso en la vida que te podría contar. Miro hacia dentro y veo el vacío del que huyo. Sé que lo que tengo te parecería poco. La casa donde vivo, la oficina donde trabajo, mis compañeros, la gente que me busca y que me quiere, todo eso es poco para ti. No me he casado, ya no voy a tener una familia mía, hecha por mí. Sin embargo, de vez en cuando me enamoro. Los hombres de quienes me enamoro tienen algo en común, un aire de desvalimiento, una vaga voluntad de vivir siempre así, desvalidos, lejos. Nadie me ha mirado al fondo de los ojos ni me ha dicho que me iba a rescatar, que iba a resolver mi vida, que yo no hiciera nada, que me quedara quieta, que me dejara llevar. No me lo han dicho y puede que ahora, que es un poco tarde, lo eche de menos. Me he empeñado en resolver mi vida por mi cuenta, y ahora que me acerco hacia ti, que te estás muriendo, siento unas ganas inacabables de descansar, de no hacer nada, tal vez llorar, sólo llorar, ¿quién puede resolver su vida por su cuenta?

Digo al fin el nombre de este hombre en quien ahora no quiero pensar, pero en quien al fin pienso, agotada de pensar en mi madre. Digo su nombre, Raúl, y percibo el tono de pena que inevitablemente impregna mi voz. Digo Raúl, y diría muchas cosas más, pero me quedo callada, porque no puedo decirle, pedirle, nada. Es tan joven que podría ser mi hijo, está desorientado, tiene un aire de desvalimiento, puede que se haya enamorado de mí, pero incluso si se enamorara de mí yo no podría decirle nada. Las interpretaciones no me sirven, pero ¿cómo no pensar que tal vez él esté cumpliendo el papel del hijo que no tengo, que estoy jugando a ser la madre que tú no fuiste conmigo, refugiada en tu mundo de sombras y silencio?

Miro los ojos interrogantes de Raúl, su ceño ligeramente fruncido, donde pongo el dedo, donde dejo un beso, y le pregunto sin mover los labios: ¿qué me estás preguntando? Pero estas preguntas no tienen importancia porque estamos desnudos y los cuerpos se conocen y se hablan. Ni siquiera me asombro de la naturalidad con que sus manos y sus labios me recorren como si me conocieran desde siempre, desde mucho antes que tú. Él tampoco se asombra, él está aquí, y me acaricia y me retiene para que no nos separemos nunca. Sin embargo, nos separamos, andamos juntos por la calle, lejos el uno del otro. Me avergonzaría cogerle de la mano, a este joven que podría ser mi hijo, delante de todo el mundo. Él tampoco me coge la mano. Vamos callados, pensando en lo que acaba de suceder o en lo que tenemos cada uno por delante, pero no estamos allí con algo entre los dos. Ahora hay mucho más silencio que antes, cuando miré sus ojos interrogantes, cuando acaricié su ceño fruncido. Nos despedimos sin darnos un abrazo. No vuelvo la cabeza, no puedo retenerle ahora.

¿Me has escuchado o sigues con la mirada perdida, vacía, ya más cerca de la muerte que de la vida? No me has escuchado. No reconoces estas palabras. Sólo entiendes de fiestas de cumpleaños, de enfermedades, de exámenes, sólo quieres historias de nietos, de maridos, de suegros. No puedo hablarte de Raúl, de estos frágiles amores que a veces se elevan, colman, estallan, que a veces flotan, se diluyen, se esfuman, no son nada.

Los trenes llegan al fin a su destino y mientras yo pienso en mi madre, huyendo de mi amor por Raúl, y pienso en Raúl, huyendo de la sombra de mi madre que agoniza, el tren avanza y llega al fin a la estación de esta ciudad donde vive, aún vive, mi madre. Conozco esta estación pequeña, llena del recuerdo de los viajes de infancia, cuando todos viajábamos juntos, cargados de maletas y paquetes. En esta estación, en un tren de éstos, habré espiado la mirada silenciosa de mi madre rodeada de sus hijas, en medio del desorden de los equipajes.

Acaso ya no vivas en esta ciudad, ya no vivas en ninguna parte. Siento de repente un miedo horrible a que durante las largas horas del viaje te hayas muerto. Estoy en el andén, inmóvil, muda, sin atreverme a llamar por teléfono a casa de Ángela, sin saber si ya nuestro silencio es para siempre o si aún estás viva, aunque estés ausente y no puedas escucharme. Viva, que estés viva, eso es lo que pido en este andén gris y perdido, el andén de mi infancia, en el que me he quedado paralizada y muda.

Cojo un taxi. Atravesamos las calles de mi ciudad en dirección a la casa de Ángela. Todo me resulta ajeno, irreconocible. Éste no era el trayecto que yo conocía, ésta no era la luz. ¿Desde cuándo no he visitado a mi madre? Me avergüenzo de haber dejado pasar tanto tiempo. Subo en el ascensor angustiada, como si fuese yo quien me encontrara en el umbral de la muerte. A la vez, extrañamente resignada, ya un poco muerta.

Me abre la puerta un hijo de Ángela, un sobrino mío, a quien conozco, sobre todo, de las crónicas de mi madre.

−¿Vive? −le pregunto.

Asiente. Me lanzo, temblorosa, por el pasillo. Veo a mucha gente y no veo a nadie, no quiero reconocer a nadie, abrazar a nadie, a mi prima Ángela, a mis hermanas, a sus maridos, a sus hijos, a las novias o las mujeres de sus hijos, esquivo los bultos en ese largo pasillo, apresuradamente, sin saber de qué me va a servir que mi madre viva aún, sin querer llegar nunca a la habitación donde mi madre se está muriendo, donde no vamos a poder hablar.

Pero he llegado, lentamente he llegado, se han apartado para dejarme paso, tal vez me hayan empujado, y ahora, en la habitación de mi madre, estamos las dos solas. Todos se han puesto de acuerdo para dejarnos solas. Tengo que decirle algo, aunque no me mira, tiene los ojos cerrados. Le cojo la mano oscura y arrugada.

−He venido, mamá −susurro−. He venido a verte.

Al cabo de un rato mi madre abre los ojos y parece reconocerme. Me mira como si supiera perfectamente quién soy, sin extrañarse de que esté ahí.

−No has cambiado nada −dice−. Tus hermanas, en cambio, han envejecido mucho −suspira−. No han tenido suerte, trabajan demasiado.

He escuchado tantas veces palabras parecidas, he reprimido tantas veces el deseo de replicarle, de contar a mi madre mi vida al fin, de decirle lo que tengo, lo que no tengo, lo mucho que me esfuerzo, hablarle de mis amores, sobre todo de mis amores, que me asombra encontrarme repentinamente muda, sin necesidad alguna de contestar. Creo que tiene algo de razón. Acabo de ver a mis hermanas, serias, envejecidas. Por primera vez me han dado pena. Sus esfuerzos han sido tan inútiles como los míos.

−Diles que se ocupen de pagar a la enfermera −dice mi madre−, la que viene por las noches. Ya sabes que Ángela no tiene dinero. Ella se encarga de todo, pero no tiene dinero.

Le digo cualquier cosa: no te preocupes, ya hemos hablado con Ángela, lo que importa es que te encuentres bien, no pienses en los demás, no hablemos de dinero ahora.

–He perdido un poco de memoria –dice– y no me acuerdo de si tienes hijos o es que yo no les conozco, que nunca me los has traído para que los conozca.

–No, no tengo hijos –digo–. No me he casado, mamá.

Se queda un rato en silencio, parece pensar.

–¿Cómo se llama? –pregunta.

–Raúl –digo–, se llama Raúl. Pero no es mi hijo.

Mi madre se sonríe, mueve ligeramente la mano en un gesto de indiferencia.

–¿Cuántos años tienes? –pregunta, y antes de que yo pueda contestarle, sigue–: Aún tienes tiempo de casarte y de tener muchos hijos. La vida es muy larga y tú eres muy joven, eres mucho más joven que tus hermanas.

Aún siento deseos de decirle que tengo más de cuarenta años, que la vida se me ha escapado, que es tarde, que me gustaría apoyar la cabeza en su cama y llorar hasta el agotamiento. Ése sería el verdadero descanso para mí. A mis hermanas, serias, esforzadas, envejecidas, no se les ha escapado la vida. Aquí están, en esta casa, en otros cuartos, con sus maridos y sus hijos mayores, quizá hablando con Ángela, con el médico, con la enfermera, haciendo cosas o pensando en hacer cosas. Yo he estado siempre al margen. Ni siquiera sé qué vida se me ha escapado.

–¿Tienes un piso grande? –me pregunta.

–Sí –digo–, bastante grande. Y tengo un cuarto para ti, puedes venir a verme y quedarte todo el tiempo que quieras.

–Sí, eso sería estupendo –dice mi madre–. Lo haré. Ahora me cansa mucho la gente. Pero tú eres muy alegre, la más alegre de todas. Me cansan las personas tristes.

Mi madre cierra los ojos y yo me quedo mirándola hasta que se queda dormida. Su pecho sube y baja dulcemente. ¿Qué más hubiera querido decirle?, ¿qué más hubiera podido decirle? Sus palabras aún llenan el cuarto, menos mal que he llegado a tiempo, he podido estar a solas con ella, hemos podido decirnos estas cosas. Nuestra breve conversación me parece muy valiosa, quisiera poder recordarla siempre, que se me grabara en la cabeza, contársela a alguien, a Raúl, decirle: Esto me dijo mi madre, que soy alegre y joven.

Quiero retener también todos los detalles de este cuarto, su dormitorio. En mis anteriores visitas, no recuerdo haber entrado aquí. Hablábamos en el cuarto de estar y, cuando salíamos a la calle, mi madre iba a su cuarto a coger el abrigo y el bolso que había dejado preparados sobre la cama. Ahora reconozco los muebles de su viejo dormitorio, el de mis padres. Han sido transplantados a este cuarto del piso de Ángela, que parece una exacta reproducción del dormitorio de mis padres. Están, sobre los muebles, las mismas pequeñas lámparas de tulipa, las mismas figuras de porcelana, las mismas cajas, los mismos marcos de plata con las mismas fotografías. Aquí están mis abuelos, en un marco doble. El abuelo mira de frente. La abuela, un poco ladeada, pierde los ojos en el infinito.

Tengo muy pocos recuerdos de mi abuelo. El recuerdo de mi abuela es como si fuera uno solo, siempre igual. La abuela, siempre igual, siempre vestida de negro, andando muy erguida, mirando al infinito, por encima de todos nosotros. Jamás llevó una joya, sólo la alianza matrimonial. Cuando enviudó, las dos alianzas. A excepción de los pendientes negros de ónix. Tan negros, tan de acuerdo con sus trajes, que casi me olvido de ellos. En su armario colgaban muy pocos trajes. Se hacía un vestido al año, iba dando a las chicas de servicio sus viejos vestidos. Aparecía en casa por las mañanas, ayudaba a mi madre a hacer algo, ordenar, cambiar las cosas de sitio, entraba en la cocina, inspeccionaba, pero no se quedaba a comer. No rompía sus costumbres. Comía sola, en la mesa camilla. Luego cerraba un rato los ojos, y emprendía después, como nueva, sus actividades de la tarde, las visitas, el rosario. Algunas veces me llevó con ella. Me sentaba en la otra butaca, al otro lado de la mesa camilla, me preguntaba cosas, me hacía hablar un poco y luego me interrumpía: Voy a echar la siesta, decía, ahora tenemos que salir...

Algunas veces me quedé a dormir en su casa, en su cama grande de la colcha color oro viejo. Mientras yo hundía mi cabeza en la almohada inacabable, la veía pasear por el cuarto con su camisón blanco de manga larga y luego arrodillarse ante la mesilla, donde tenía un cuadro de la virgen, un crucifijo de plata y una pila de agua bendita. Rezaba mientras yo me dormía. Sólo le veía la cabeza, la redecilla que recogía el pelo gris. Me iba quedando dormida mientras ella rezaba a media voz para que la oyera yo o porque lo hacía siempre así. Yo pensaba entonces que hablaba con Dios. Tal vez fuera cierto.

Me dormía dulcemente, envuelta en el susurro de sus rezos, aunque me daba cuenta del momento en que ella entraba en la cama. Levantaba las sábanas del otro lado, se deslizaba por las sábanas, casi me tocaba, sentía su calor. Como era madrugadora, cuando yo abría los ojos por la mañana, ya no estaba allí. Me venía a despertar ya vestida de negro, ya peinada con el pelo recogido en lo alto, se sentaba un momento en la cama, me daba un beso. ¿Qué me decía? Tal vez sólo: Vamos, vamos, hay muchas cosas que hacer...

La abuela se imponía. Era fuerte, era alegre, era guapa. Decía la modista de sus trajes negros: a nadie le sientan como a ella, los trajes no valen nada. Cuando la abuela venía a casa, mi madre desaparecía. ¿Qué hacía mi madre cuando mi abuela venía a vernos? Seguramente, la seguía por la casa. Yo no la veía. Sólo recuerdo a la abuela yendo de un lado para otro, entrando en un cuarto, bajando las escaleras hacia la calle. Sus pasos enérgicos, su espalda recta, eso es lo que recuerdo. ¿Hablarían

131

entre ellas?, ¿se harían confidencias? Quizá la abuela nunca se sintió sola. Quizá nunca necesitó hablar.

Paseo la mirada por todos los rincones de este cuarto, trato de grabarlo en la memoria, porque es aquí donde mi madre y yo hemos hablado, estas pocas palabras que irán adquiriendo cada día, cada hora, cada minuto, más significado.

El cuarto está lleno de fotografías. ¿Es así como mi madre ha llenado su silencio, con las vidas inmóviles de los otros? Por todas partes andan, por encima de los muebles, diseminados, trozos de vida; las bodas de mis hermanas, los nietos, nosotras cuando éramos niñas, y también la boda de ella, de mis padres. No hay otra fotografía de mi padre en el cuarto, sólo ésta del día de su boda, en la que él ni siquiera es el padre que no recuerdo sino un joven que se casaba con ella. ¿Cómo habría sido mi vida si nuestro padre no hubiera muerto tan pronto?, ¿cómo sería él, el hombre que desapareció, que nos dejó solas a las seis mujeres de la casa, sin dinero?

Vuelve Raúl ahora, vuelve mi nostalgia de Raúl, este joven que podría ser mi hijo, a quien le hago preguntas silenciosas, a quien no puedo retener. Me mira como si sospechara que el hecho de que yo le doble la edad fuera garantía de algo, algo raro, indeterminado, la independencia, la soledad. Sólo retengo a Raúl un momento cuando, desnudo, entre mis brazos, me mira interrogante, se abandona en mi cuerpo, deja de pensar en sí mismo. Sólo entonces le retengo un poco, beso una y otra vez sus párpados, cerrándole los ojos que me envuelven en esa mirada interrogante que me causa tanto placer y tanto dolor, pongo el dedo sobre su ceño un poco fruncido, borrando las preguntas, las mismas preguntas que yo hago o que no hago ya a nadie. ¿Qué buscas?, ¿qué miras?, le digo en silencio mientras le retengo, le retengo.

Echo de menos a Raúl, que no me ha acompañado en este viaje de urgencia para dar a mi madre el último adiós. No está en la casa de Ángela, deambulando por el pasillo, de cuarto en cuarto, su voz no se confunde con ese murmullo remoto que me llega a través de la puerta cerrada. Ni siquiera le he pedido que me acompañara. No se me ha pasado por la cabeza que ahora lo fuese a necesitar. Estoy acostumbrada a prescindir de él.

Se abre la puerta y veo la cara de una de mis hermanas, le hago un gesto para comunicarle que mi madre duerme y ella entra, se inclina sobre mi madre, y luego me indica que salga fuera y murmura algo sobre la enfermera.

Obedezco. Ya he cumplido mi misión. He llegado a tiempo de despedirme de mi madre, ahora me meto en la corriente de las órdenes que mis hermanas dan, obedezco.

La noche es larga. Yo me echo en un sofá, duermo a ratos. Voy al cuarto de mi madre, la miro, sigue dormida. Y pasan así dos, tres días, no recuerdo, las horas se suceden iguales. A mí me han asignado este sofá donde duermo a ratos, en este cuarto que está lleno de armarios y en el que entra gente con sigilo, para no despertarme. Hubo una pequeña pelea por este sofá, y cuando la recuerdo, entre sueños, me río con los ojos cerrados. No sabían dónde instalarme, si mandarme a un hotel, si darme un saco de dormir. Mi hermana Delia es la que se ha ido, enfadada, a un hotel, aunque se pasa el día aquí. Pero nadie ha hecho caso de su enfado. Ha sido la voz de Jimena, mi hermana mayor, la que se ha alzado dando las órdenes y finalmente me han traído a este sofá, el sofá que quería Delia. Me sonrío y me asombro de este gesto de mis hermanas. No sé si todos los esfuerzos inútiles que ellas y yo hemos hecho a lo largo de nuestras vidas nos han unido, nos han dado al fin algo en común, o todo tiene una explicación mucho más remota e inocente, soy la hermana pequeña, alguien me tiene que proteger en esta casa, en esta familia. Desde aquí oigo los susurros del médico, la enfermera, mis hermanas, Ángela, susurros de gente desconocida, rumores repetidos: No puede durar,

133

de un momento a otro... Todos esperamos su muerte. Mi madre ya no vuelve a hablar, no vuelve a pronunciar palabras descifrables. De vez en cuando mueve los labios, pero los sonidos ya no componen palabras. Al fin muere mientras yo duermo en el sofá. Cuando me despierto, escucho un silencio extraño, salgo al pasillo, alguien sale del cuarto de mi madre y me hace un gesto: Ya está, ya se ha terminado.

Innumerables personas invaden el piso, mis hermanas llaman por teléfono, entran y salen de los cuartos, gente que no conozco me habla y me da consejos. Al mediodía llamo a Raúl.

–Mañana es el entierro –le digo–, cogeré el tren nocturno–. Me gustaría que me fueras a recoger a la estación –digo después–. Estoy muy cansada.

Pero Raúl, precisamente esa mañana, tiene que hacer no sé qué, luego nos veremos, por la tarde, en cuanto pueda se pasará por casa. A Raúl no le gusta el teléfono. Al otro lado del hilo telefónico, siempre es inexpresivo y cortante. Nunca me ha ido a buscar a la estación cuando regreso de un viaje. Sin embargo, vuelvo a pedírselo.

Y al cabo de un largo día, o de dos largos días, estoy de nuevo en el tren, huérfana, triste, sola en el mundo a mis cuarenta años. Y sé que ahora empieza otra vida, la vida sin mi madre, sin las llamadas y las visitas a la casa de Ángela, sin su cantinela de las vidas de sus nietos, mis sobrinos, a quienes apenas conozco. Mi madre ha muerto, ha callado para siempre, y yo ya no puedo seguir alejándome de ella, huyendo de ella. Y tengo la impresión de que la vida es muy larga, casi infinita, esta vida que está empezando ahora y que me parece tan triste como el bar inhóspito de este tren nocturno, perdido. A lo mejor he empezado a envejecer, a parecerme a la mujer a quien siempre he conocido con muchos años sobre los hombros, con mucho silencio, a la mujer que nunca conocí con su sonrisa de joven, la sonrisa del día de su boda. Estos cuarenta años que he vivido están unidos a la infancia, pero con la muerte de mi madre se ha roto todo vínculo. He dejado de ser la hermana pequeña, mi infancia de cuarenta años se ha descongelado, soy ahora una persona cualquiera que envejece.

En cierto modo ella me escuchó, me digo, me dijo algo, habló conmigo, me distinguió de mis hermanas. Esto tiene que bastarme. Esto es lo que tengo yo, esta persona cualquiera.

A mi lado, en la barra del bar, un chico está tomando una cerveza, un chico de la edad de Raúl, que también estaría bebiendo cerveza si se encontrara aquí, conmigo. Habla con el camarero, el camarero me habla a mí, empezamos a hablar los tres. El tren va casi vacío. Me contemplo en el espejo y siento simpatía hacia esa mujer que repentinamente se rebela, no está dispuesta a envejecer. No quiero volver a pensar, no quiero recluirme en las sombras que acosaron a mi madre. Algo está sucediendo mientras termino mi cerveza, este bar inhóspito se está convirtiendo en un acogedor rincón del mundo, el ruido casi atronador del tren nos mece, el chico me mira, y no tenemos nada que hacer, ninguna obligación, dejar pasar el tiempo, beber, hablar. Ya estoy de nuevo lejos de mis hermanas, ¿qué protección necesito? Escogería estar precisamente aquí, en el centro de este tren, en este momento suspendido en la noche, rodeada de personas desconocidas, envuelta en este ruido que mece, en esta luz amarillenta. Me miro en el espejo del bar. Me gusta esa mujer que sonríe, bebe cerveza, envuelve en una vaga mirada al chico que enciende despacio un cigarrillo, un poco confuso, porque de repente se ha dado cuenta de que aquí va a pasar algo, de que esta noche en el tren es esa noche en el tren con la que se ha soñado alguna vez. La vida no se me ha escapado.

Llevo un traje negro, pero no es por el luto, a mí me gusta el negro. Me siento joven dentro de mi traje negro, ya no me importa tener más de cuarenta años porque estoy segura de que no los aparento, y siento que el chico

135

ya se ha decidido, que ha vencido el primer momento de asombro, cuando sospechó que una mujer de cuarenta años vestida de negro le estaba haciendo una invitación en mitad de la noche, en mitad del tren. Siento su cuerpo muy cerca de mí, sus manos, sus rodillas. Seguimos bebiendo un rato aquí, en la barra de este acogedor bar del tren, ahora que el camarero, levemente despechado, levemente ofendido, se ha alejado. Hablamos, reímos, nos contamos las cosas alegres de la vida. Y cada vez me siento más unida a este chico cuyo ceño es completamente liso, cuyas manos acarician las mías. Van a cerrar el bar, pero a nosotros no nos importa, tenemos toda la noche por delante, esta noche perdida que acabamos de encontrar, que va a transcurrir lentamente sobre los raíles de un tren que ahora no sabemos hacia dónde va, no queremos saberlo, no queremos que llegue nunca, no queremos que se termine este viaje sino estar siempre aquí, en el bar, en el pasillo, en un compartimento.

No sé por qué, pero prefiero ir a su compartimento. Lo hago por instinto. Tal vez prefiera entrar en una vida a que otros entren en la mía. A lo mejor le estoy dando a mi compartimento un valor simbólico. El compartimento es lo único que tengo ahora, y lo tengo que defender, que guardar.

Qué noche, murmuro horas más tarde por el pasillo, camino de mi compartimento, qué noche, mientras el tren corre ya muy cerca de la última estación en medio del amanecer. Me tiendo un momento en la litera sin utilizar. Me he vestido deprisa, de cualquier forma, he venido huyendo por el pasillo. Cómo me alegro de haber defendido este espacio tan pequeño, tan incómodo, donde apenas me puedo mover. Deshago un poco la litera, para que el empleado de la limpieza, que es un desconocido para mí, crea que he pasado aquí la noche.

Me miro en el espejo. La mujer de la noche se ha desvanecido un poco, está pálida, cansada, como si hubiera perdido algo, tiempo, emoción, algo inasible y de algún modo profundo. Junto al cansancio, tengo ganas de reír. La imagen del guapo chico a quien acabo de besar suavemente diciéndole adiós es repentinamente sustituida por la imagen de Raúl. Y detrás de Raúl surge la imagen de mi madre, de mi abuela, de mis hermanas. Pienso en ellos atropelladamente, huyendo una vez de uno, otra de otro. Pienso en la vida que se escapa. He perdido a mi madre para siempre, tengo más de cuarenta años, ya no puedo tener hijos. He pasado la noche con un joven a quien probablemente no volveré a ver. Estoy sola aquí, en esta litera, en este vagón, en el tren, en el mundo.

Los trenes acaban llegando a su destino, a la estación desconocida de la ciudad donde vivo, llena de andenes, de escaleras, de indicadores, de voces que truenan, confusas, llena de ecos, de frío de una mañana de invierno, aunque todavía no es invierno. Salgo de mi compartimento y bajo al andén. Veo al joven de la noche, a unos pasos por delante de mí, pero no vuelve la cabeza. Huye por el andén en esta fría mañana de invierno. Siento alivio y un poco de añoranza.

Yo ando despacio, ¿qué prisa tengo? Ya no huyo de nadie. Una parte de mi vida empieza ahora, mientras voy poniendo un pie delante del otro en la acera gris del andén. ¿Cómo será vivir sin llamar a mi madre, sin escuchar su interminable cantinela sobre las vidas de mis hermanas, de Ángela, de sus nietos, sin este silencio mío que aún me pesa, me duele?, ¿no tengo, junto al dolor de lo perdido para siempre, un atisbo de liberación, de descanso? Pero sé que la vida ha sido injusta con ella, y que ya no podrá devolvernos nada. Todo se ha terminado. El silencio se transformará en otra cosa, quién sabe en qué.

Repentinamente, veo a Raúl delante de mí. Me quedo tan asombrada que me detengo, dejo la bolsa en el suelo, el suelo gris y frío del andén. Raúl se acerca, no sé si me abrazará. Lo espero quieta, clavada en el suelo. Me mira, no me pregunta nada, no hay ninguna interrogación en sus ojos, extiende los brazos, me empuja hacia él. Dejo caer la cabeza sobre su pecho, este pecho donde siento el amor, el amor a la vida.

–Creí que no podías venir a buscarme –le digo–. No te esperaba.

–Pude arreglarlo –dice, mientras recoge la bolsa del suelo.

Andamos juntos. Yo sigo apoyada en él. Aunque sólo sea durante este corto trayecto por el andén, estoy apoyada en él, en Raúl, que ha venido a buscarme a la estación desconocida de la ciudad donde vivo, y me alejo del tren sin saber hacia dónde voy, me alejo de mi aventura nocturna, me alejo de la muerte de mi madre, de los ojos que me miran sin decirme nada, como ella ha huido de los ojos de su madre perdidos en el infinito, los ojos de la abuela mirando siempre lejos. En esta fría mañana de invierno, con mis cuarenta años que han empezado a correr, pienso en ellas, en sus largas vidas silenciosas, y quisiera poder retener, retener, este hombre en el que me apoyo sólo un rato, este corto trayecto, esta pálida luz de la mañana que empieza y que dentro de poco se llenará de ruidos, de humo, de calor, de nosotros mismos moviéndonos de un lado para otro, apresurados, huyendo.

Clara Sánchez

Cari junto a una motocicleta roja

Para Encarna Castejón

Cari me contó que Águeda, su madre, había visto la muerte: había entrado en su dormitorio, se había aproximado a los pies de la cama y allí se había quedado un rato. Le comenté que seguramente se trataba de un sueño, y Cari se quedó pensativa. Le pregunté por el aspecto de la muerte: blanco, como una nube, pero más desvaído. «Humo blanco, con boca y ojos negros», concluyó. Varios meses después murió su padre.

Me enteré bruscamente a la hora de la cena. Alguien dijo: «Ha muerto el del segundo.» Y agregó: «El padre de Cari.» Me contaron que se había puesto enfermo en el trabajo, que del trabajo se lo llevaron al hospital y del hospital al tanatorio. También comentaron que la vida era así y que a un chico de mi edad ya no debía impresionarle algo tan corriente como la muerte.

Cari tenía ahora catorce años, como yo, y su madre cuarenta y cinco. Me asomé a la ventana. La noche, fiel a sí misma, volvía a presentarse entera, completa y única, con toda su oscuridad y todas sus estrellas y toda la luna que debía tener. Rompían la serenidad las luces de los edificios, más brillantes que las estrellas y más irreales. La desaparición del padre de Cari no había alterado nada. Al día siguiente, bajé desde el cuarto al segundo como si hubiera recorrido kilómetros y kilómetros sin cansarme. Había viajado a otro mundo a la velocidad atemporal a la que se viaja a otros mundos donde hay otros seres, otras cosas y otras tinieblas.

Me abrió la puerta Águeda vestida de negro. Una falda, una blusa y zapatos de medio tacón. La piel de la cara era distinta, más pálida y transparente, y los ojos más entornados y más brillantes. Una de las mejillas la atravesaba un arañazo rojo. Y esta mejilla, cuando la besé, estaba muy caliente. Su cabello entre castaño y rubio había sido arrastrado hacia atrás por un sencillo peine de púas. Parecía pasada por un filtro de pureza. Era sólo su esencia.

Tras ella, al fondo de la habitación, Cari nos observaba con los brazos cruzados, replegándose sobre sí misma, concentrándose como las grandes pasiones y los grandes temores. Sentí miedo por ella, perdida al otro extremo de la habitación sobre el fondo blanco de la pared. El pelo suelto hasta los hombros pasaba suavemente junto a los ojos. Los ampliaba extraordinariamente. Su mirada era grande y oscura. Le dije hola con la mano, y no contestó ni se movió hasta que me situé a su lado. Desde allí vimos entrar, por el balcón entornado, el sol de julio como si fuera se hallara el paraíso. Águeda cruzó varias veces este resplandor, que caía del espacio atravesando el cielo.

Cari me pidió que me quedase a comer. Colocó en la mesa un mantel de flores rojas y sobre él platos, copas y cubiertos. Nos sentamos los tres, pero Águeda se levantó, retiró las copas y en su lugar puso vasos. Luego miró con intensidad las flores rojas y del mismo modo a su hija. Cari comprendió. Las alegres flores rojas estaban fuera de lugar. Comimos en silencio y con desgana. Siempre que abrí la boca me parecí tan alegre como las flores del mantel y opté por callar. Y así, callado, pude concentrarme mejor en Cari, lejana como el futuro, premonitoria, en su lucha particular por abrirse a la luz que entraba de la calle como una flor de verdad. A veces miraba a su madre con pena. Me aterró aquella pena porque nada podía competir con ella, ni el odio, ni la envidia, ni siquiera el amor. Me hubiera gustado que su madre no existiera simplemente para que Cari no la mirara así.

Eché un vistazo a la mesa alargada bajo la ventana desde la que su padre solía preguntarme sin levantar la vista: «¿Cómo van esos estudios?» «Es una persona sin carisma», había oído decir sobre él desde muy pequeño. Quería esto decir que daba igual verlo que no verlo. A mí, por ejemplo, me daba igual, y a fuerza de que me diese igual, llegó a hacerse imprescindible y pensé que su carisma consistía en no tener carisma. Siempre lo veía doblado sobre las tripas de una radio de la que de vez en cuando salía un ronroneo que cruzaba la casa.

Tras la comida, no supe qué hacer y, por no quedarme callado y quieto, me marché. Dije gracias y busqué los ojos de mi amiga, que son los ojos que más me han gustado nunca.

Volví a adentrarme en ellos cuando varias tardes después coincidimos en el portal. Cari siempre miraba más que hablaba y, como solía hacer, abrió los ojos antes que la boca. No podía razonar con ellos, pero sí comunicar la verdad.

Me acostumbró a encontrar las emociones en los ojos y que ni la gesticulación ni el llamado lenguaje del cuerpo me impresionaran. Si no había nada en la mirada, no lo había en ninguna parte. Por ella entendí de inmediato que algo ocurría con Águeda. Águeda ocupaba sus pupilas por completo y por tanto ocupaba su preocupación y por tanto ocupaba su amor. Por fin dijo lentamente, como si tradujese de una lengua críptica: «Mi madre no se ha levantado de la cama.» «¿Está enferma?», le pregunté. «No lo sé», contestó. «"Estoy cambiando, hija mía", me ha dicho.» Ésta era una peculiaridad de Águeda: decir cosas que no se decían normalmente. Si lo pensabas bien, todos estábamos siempre cambiando, desde el nacimiento hasta la muerte, pero nos dábamos cuenta después, no en el mismo momento del cambio.

A los quince días, su madre se levantó de la cama. «Mientras se vestía, un pájaro entró por la ventana, aleteó por toda la habitación, se posó en su hombro y así permaneció un rato. Mamá no se movió hasta que se marchó volando de nuevo. Entonces me dijo que debíamos irnos y vivir por un tiempo fuera de la ciudad, al campo.» «¿Por qué?», le pregunté yo. Cari se encogió de hombros. «¿No le preguntaste por qué?», insistí. «No», contestó ella. «¿Y tú quieres irte?», continué. Negó con la cabeza. No me daba por vencido: «Deberíais discutirlo.» Ella se irritó un poco: «No es un capricho y no se puede discutir.» «Está bien», le dije, y nos quedamos mirando lo que había enfrente simplemente porque estaba allí y nosotros también: una manzana de edificios de ladrillo corriente de nuestro barrio corriente con tiendas en los bajos y coches aparcados ante ellas.

A la madre de Cari le quedó una buena pensión que le permitió cerrar la casa de Madrid y retirarse a vivir a Levante, junto al mar. Cari comenzó a ir allí al instituto. Me envió una foto junto a una motocicleta roja con la que hacía todos los trayectos. «Mi madre está muy animada. Es casi una desconocida. Creo que su transformación ha terminado y puedo decirte que ahora sí que soy feliz.» Me alegré de que fuera feliz y al mismo tiempo me preocupé porque casi nunca me hablaba de sí misma. Vagas referencias a alguna fiesta o a los estudios para llegar a lo importante: el estado de ánimo de Águeda. Hablase de lo que hablase no podía evitar la manía de introducir un: «Continúa bien» o «Ahora se divierte».

Pero más o menos al año recibí una carta que comenzaba así: «Esta mañana no he podido ir al instituto. Me he desviado con la motocicleta hasta el acantilado. Desde aquí te escribo. La mayoría de la gente dice que el mar es tranquilizador. La mayoría siempre encuentra consuelo en algo, pero yo no. Cuando estoy así, todo está así. Y no hay remedio.» Al final escribía: «Mamá sale con un hombre, pero él no la quiere.» Busqué la foto en que Cari estaba junto a la motocicleta, expuesta a la amplitud del campo y del aire invernal, algo encogida para defenderse de ella.

Al poco tiempo, me crucé en el portal con Águeda. Iba acompañada por un hombre alto, moreno, de aspecto algo rudo, totalmente opuesto al padre de Cari. Ella no reparó en mí. Su mirada distraída vagaba por todas partes sin detenerse en ninguna. Su aspecto tenía ahora un aire mucho más mundano. El pelo rizado en lugar de su pelo liso y zapatos de tacón alto en lugar de aquellos que nunca me habían llamado la atención. Realmente había cambiado.

Mientras cruzaba el umbral y salía a la calle, Cari se formó dentro de mí. Sus brazos crecieron en mis brazos y sus piernas en mis piernas. Tenía sus ojos en mis ojos y con ellos pude ver de nuevo a su madre y al acompañante que no la quería. Se me llenaron de tristeza de Cari. Como hubiera hecho ella, me pasé la mañana vigilando su piso.

Al mediodía el hombre alto y moreno salió dando un portazo, no con violencia sino como si no supiera controlar su fuerza. Llamé al timbre y abrió Águeda. Exclamó un ¡Ah! de contrariedad por no ver en mi lugar al alto y moreno. Le pregunté por Cari. «Está muy bien —me dijo—. Es una persona fuerte, como me hubiera gustado ser a mí. Sin ella no podría vivir.» Me hizo entrar y preparó café para los dos. «He venido para echar un vistazo a la casa. Cari tiene clase y se ha tenido que quedar —suspiró—. Dentro de poco ya no me necesitará.» Pasamos al dormitorio, donde metía y sacaba ropa de un armario abierto. Miré la cama, de la que no había salido en quince días tras la muerte de su marido. De aquello hacía casi dos años y de nuevo estábamos en primavera. Los pájaros piaban con pulmones de caballo. Parecía que las copas de los árboles iban a estallar. De allí voló uno hasta la ventana, pero no llegó a colarse. Los dos lo miramos. Águeda dijo: «No sé qué hacer con esta casa.» Le pregunté si Cari tenía amigos. «Claro —contestó—. A Cari todo el mundo la quiere.» Sin embargo, en sus cartas nunca me hablaba de ellos, como si no le importaran o en realidad no los tuviera. No se lo dije. Cari no me hubiera perdonado que la preocupara. Hice otra pregunta: «¿No volveréis nunca a vivir aquí?» Y entonces Águeda empezó a llorar. Primero de cara al armario y después mirándome abiertamente: «Todavía no puedes hacerte una idea de lo que es la vida. No tienes edad. Uno a veces sabe lo que debe hacer y otras no. Yo ahora no quiero pensar.» Se podía decir con toda seriedad que era muy guapa y muy triste, incluso con aquel pelo tan alegre, y además tenía agua clara en los ojos como las fuentes y los ríos. Apuré el café que quedaba en la taza y me despedí. Los ojos con agua clara me siguieron hasta la puerta seguramente sin pensar, como corresponde a la naturaleza.

Por la noche recibí una llamada de Cari. Se interesó mucho por mí, pero enseguida me di cuenta de que era un preámbulo para interrogarme por Águeda. Quería saber si la había visto y qué me había parecido. Me preguntó si había llorado. Le contesté que no. Y si lo había visto a él. También le contesté que no.

¿Qué le pasaba a Cari?, y como si hubiese oído mis pensamientos, dijo: «No sé lo que me pasa.» Sólo acerté a decir: «No te preocupes tanto. Ella tiene una vida y tú otra, aunque viváis en la misma casa.» Una cosa es lo que piensas, otra lo que sientes y otra lo que dices. Entre lo que Cari sentía y lo que decía había una conciencia profunda como un abismo lleno de tinieblas y algo de luz, por donde cualquier palabra que cayese podía estar cayendo toda la vida sin llegar al fondo. Para terminar, me invitó a visitarlas y le dije que me lo pensaría.

Decidí desinteresarme por ella. No quería saber más. Pero no fue tan fácil. Cari no dejó de escribirme a pesar de que no respondía sus cartas. En una de ellas me contaba que el alto y moreno era un vago que vivía a costa de su madre y que la había convencido para que vendiese la casa de Madrid. Su madre no tenía voluntad y esto apenaba a Cari profundamente.

En otra confesaba que estaba desesperada porque Águeda bebía demasiado. La había aficionado el alto y moreno. Esta carta fue escrita en el acantilado una mañana en que tendría que haber estado en el instituto. Ya había llegado el invierno. «Sopla el viento con mucha fuerza —decía—. Si me arrancara de aquí, yo no haría nada por sujetarme.» Y la imaginé sentada en una roca escribiéndome a mí que no le hacía caso y abajo su pequeña motocicleta roja bamboleada ligeramente por la furia de la naturaleza. Al pie de la carta, leí: «Ven a verme.» Me pareció una súplica. Pero quién era yo para sacarla de aquel infierno sutil que le había sido dado como a otros les es dada una enfermedad o una gracia. Mi vida corriente y monótona no me dotaba de ninguna fuerza especial con que combatir en abismos, entre tinieblas, en los ojos asustados de Cari y vencer. Yo era una persona sin carisma, como había sido su padre, y me agotaría muy pronto y me moriría.

Pero, por otra parte, aún tenía dieciséis años y no estaba atormentado y me agradaba la idea de coger un tren y viajar a la playa. Me animé a ir un fin de semana. En mi casa les pareció bien. Telefoneé a Cari para comunicárselo. Irían Águeda y ella a buscarme a la estación.

Cuando llegué después de cinco horas de viaje, no vi a ninguna de las dos. La ropa languideció en la atmósfera blanda de la costa y respiré una mezcla lejana propia de la orilla del mar. Di unos cuantos paseos por el andén para estirar las piernas y para facilitar que me vieran. Al rato me topé con el acompañante alto y moreno de Águeda. Me presenté, y él acogió la presentación con indiferencia.

No se interesó por el viaje, ni por ninguna otra cosa. Puso el coche en marcha, se enfrascó en sus pensamientos, si los tenía, y vi cómo de pronto la oscuridad había descendido del cielo hasta la tierra sin interrupción de ninguna clase. «Siento que se haya tenido que molestar por mí», le dije. «Has tenido suerte. Hoy libro», me contestó. Si libraba es que trabajaba y por tanto no era un vago. «Cari me dijo que ella y su madre vendrían a recogerme.» Él me miró sin decir nada y cogió un cigarrillo y se lo encendió. No supe cómo interpretar aquello. «¿Entiendes de camiones?», me preguntó. «Algo», le contesté por no matar la conversación. «Hoy casi he estado a punto de matarme. Se me ha desbocado el camión en un puerto cuesta abajo. Me han fallado los frenos. Tenía tanto miedo que no recordaba que este camión disponía de un freno auxiliar.» Le pregunté qué había hecho mientras pensaba que se iba a matar. «Rezar», me contestó. «Rezar un Padrenuestro tras otro. No se me ocurría otra cosa. Cuando llegué a casa, me metí en la cama, y me acabo de levantar para venir a buscarte. No iba a venir

¿comprendes? Después de una experiencia así nada importa.» «Y, entonces, ¿por qué?», le interrogué yo. «Porque no podía soportarla. A veces no la soporto y me marcho.»

Le pedí detalles sólo con la mirada. «Soy un hombre sencillo –dijo–. Bastante simple y no me da vergüenza confesarlo. No soy un intelectual. Tú pareces un intelectual y te habrás dado cuenta enseguida de que yo no lo soy. Quiero decirte que puedo con todo menos con las sutilezas. No me asustan los problemas gordos, estoy acostumbrado a resolverlos, pero ella es demasiado para mí.»

«Es muy guapa, pero muy triste», era lo que se decía en mi casa sobre la madre de Cari. Y realmente parecía destinada a un mundo diferente, a cosas no absolutamente terrenales ni completamente reales. No estaba íntegramente donde estaba. El mundo de su cabeza era más fuerte que el mundo que se puede ver, tocar y analizar sin ser filósofo.

«No le da importancia a los bienes materiales –continuó–. Se ha propuesto vender la casa de Madrid para ayudarme en el negocio de los camiones.» No pude reprimirme y le solté: «Y Cari ¿qué opina de todo esto?» «Yo lo resumiría así: no opina. Cari es una parte de Águeda. No es un ser independiente. Yo soy independiente, Águeda también, y tú, pero no Cari. ¿Qué importa lo que opine? Siempre será una parte de lo que opine Águeda.»

Lo que decía parecía cruel porque parecía verdad. Pobre Cari, así nunca hallaría serenidad en su vida. Siempre sería un cuerpo que debería estar en otro cuerpo y una cabeza que debería estar en otra cabeza.

Por fin llegamos a la casa. Estaba situada frente a una pequeña bahía y rodeada por unos mil metros de terreno donde habían crecido varias palmeras y varios naranjos. Sobre el agua planeaba espectacularmente la luna llena. Y Cari salió corriendo de la casa y las señaló con un ademán de la mano. «Mira», dijo, como cuando antes nos

149

sentábamos a contemplar los edificios, los coches y la gente. Y de repente me encontré muy contento y pensé que había merecido la pena el viaje.

No en vano habían transcurrido dos años. Cari continuaba siendo Cari, pero perfeccionada en extremo. Esto me hizo pensar que su constante sufrimiento residía en su imperceptible aunque constante transformación y no en el hecho de no poder ser Águeda, como había dado a entender el alto y moreno. Yo había tenido la fortuna de conocer a la persona que me atraía más que ninguna otra y de no serle indiferente.

Durante aquellos días nos besábamos en todas partes y caminábamos exageradamente juntos, pero fue en la soledad, la libertad y los abrazos del acantilado donde olvidé completamente a los demás y creí que Cari y yo formábamos un mundo. Nunca después he querido pasar tanto tiempo con otra persona. Y ella daba la impresión de que se hubiese olvidado de Águeda y su amante.

Realmente, la situación resultaba menos dramática de lo que hacía creer en sus cartas. Hasta que la última noche nos encontramos a Águeda en el salón con aspecto de haber llorado trágicamente. No le importó que nos diéramos cuenta. «Se ha marchado», le dijo a su hija en voz alta. Los ojos de Cari se cubrieron inmediatamente de la sombra que pasa por las nubes, el sol y la superficie del mar cuando está más azul. Preparó la cena sin hablar. Yo la ayudaba. Águeda sacó una botella de vino y tres copas. «Mamá, yo no bebo», dijo Cari dentro de su sombra. «Ni yo tampoco», dije a mi vez. «Pues yo sí», dijo Águeda sirviéndose hasta el borde y dejando que se le derramara un poco en el dedo y que goteara como gotea la sangre.

Me atreví a decir: «Águeda, esto no es el fin del mundo.» Me dirigí a ella, a pesar de que en realidad era a Cari a quien hablaba. Nos observaba de reojo. «El fin del mundo no, pero sí el de una mujer como yo. ¿Qué haré ahora?» Cari puso los platos en la mesa.

La cena era a base de pescado que habíamos comprado en el puerto para la ocasión. Su madre preguntó: «¿Estamos celebrando algo?» «Su despedida. Se marcha mañana», contestó su hija refiriéndose a mí. «Podemos matar dos pájaros de un tiro y celebrar dos despedidas», continuó Águeda. «No, sólo la mía −tercié yo, incómodo−. La mía es la verdadera despedida.» Cari apenas probó bocado. Águeda únicamente bebía. Un arañazo rojo comenzaba a cruzarle la mejilla. Fuera la hermosa luna estaba encima de nosotros, pero ajena a nosotros. Tal vez aquella extraña luz nos había hecho tan extraños a los humanos. Águeda dijo: «Estoy segura de que todavía me quiere.» Ni su hija ni yo hicimos ningún comentario, pero yo ya sabía que él no la soportaba.

Cuando me fui a dormir, besé a Águeda en la ardiente mejilla del arañazo.

En las sucesivas cartas que siguieron a esta visita, Cari me contó que su madre estaba enferma. «Hoy me ha dicho que ha visto a papá. Estaba sentada en el jardín y él ha subido por la cuesta que lleva a la bahía.» Y agregó: «Te echo de menos.»

Si me echaba de menos es que ella tenía un pensamiento en el que yo estaba del mismo modo que los árboles tienen ramas en que están los pájaros. Por eso, iba y venía y a veces me quedaba quieto mirando al infinito, sin pensar, sin hablar, sin hacer nada especial, pero estando bien. Y que me gustase tanto me daba miedo porque había oído decir que lo que más feliz te hace es también lo que puede hacerte más desgraciado. ¡Cuidado!, me dije. Cuidado con dejar que Cari pase la raya. Yo era mi guardián y me vigilaba porque tenía mis propios límites. Como toda propiedad privada, estaba cercado. Por el contrario, Águeda y Cari no reconocían ningún tipo de lindes y por eso podían entrar en los demás y en la irrealidad y en la pena, en el amor y en cualquier clase de sentimiento. Ahora comprendía mejor al alto y moreno. Se había retirado a tiempo.

Yo, a pesar de todo, no me retiré. Continuamos escribiéndonos y viéndonos durante dos años más. En el fondo, sentía el deber de conducir a Cari al lado de la vida donde estaba ella llena sólo de sí misma.

Creo que mis intenciones quedaban demasiado claras y por ello un día, tumbada en una hamaca en el jardín y mirando la cuesta que llevaba a la bahía, me dijo Águeda: «Cari me necesita. El tiempo te enseña que no es tan fácil separar, borrar, dividir, deshacer. Más bien diría que es imposible.» Con estas palabras, no me advertía ni me reprochaba nada, simplemente me informaba, como si fuera ella la primera sorprendida. Cerró los ojos y cruzó las manos sobre el pecho. Parecía muerta. Pero también parecía que el calor brillante la iba a reanimar de un momento a otro. Y, en realidad, cada uno de los que nos encontrábamos allí, incluidas las plantas y las aves, revivíamos a cada instante porque también moríamos a cada instante.

A Águeda solía dedicarle algunos minutos para complacer a Cari, que ahora nos miraba desde la puerta mientras moría y revivía al mismo ritmo que yo.

En cuatro años, los días al sol frente a la bahía se confunden unos con otros. A veces era invierno y parecía verano y otras de verdad era verano. Cuando hacía viento, Cari se recogía el pelo con una goma, las palmeras se combaban ligeramente a uno y otro lado y el mundo sonaba a furia. Cuando hacía frío encendíamos la chimenea, y el fuego ardía, se elevaba, brillaba y se consumía.

Águeda no se metía en nada, se volvía físicamente casi invisible. Por el contrario su espíritu se volvía casi visible: por un momento, la casa y el cielo se tornaban grises o negros, incluso los árboles y los animales que había por allí.

Aunque me encontrara en Madrid, en otro paisaje y con otra gente, podía ver con los ojos de Cari tan llenos de los ojos de Águeda. Es decir, estaba traspasando la raya. Y cada vez la pasaba más a menudo y con mayor facilidad, sin darme cuenta. Quiero decir que llegó un momento en que ya no tenía que esforzarme para sentir como ella. Mis emociones conocían el mecanismo de sus emociones aunque yo lo ignorara.

Se podía decir que nuestra relación había sido temprana, larga y que estaba creando algo tal vez imposible de deshacer, como hubiera dicho Águeda. Eso el tiempo lo diría.

De nuevo tuve miedo. Creo que era de mis sensaciones, exageradas e intensas, cuando yo era un tipo bastante centrado y objetivo con la realidad. Normal, en una palabra. Parecía que el cuerpo y la cabeza trabajaban interiormente contra corriente. Me encontraba en tal estado de agotamiento que sólo quería estar metido en la cama mientras ocurría aquello dentro de mí. Temí estar cambiando del mismo modo que Águeda cambió cuando, tras la muerte de su marido, no se levantó de la cama en quince días. Después, al ser abandonada por el alto y moreno, había vuelto a cambiar. Y en esta última etapa tendía a fundirse con el ambiente. Se quedaba en las cosas, de tal forma que las cosas eran materia pasada por Águeda y no sólo materia.

Mis padres estaban preocupados por mí. Mi rendimiento en los estudios era bajo. Me aburría estudiar, como si esa actividad no le interesara a alguien ajeno que había ocupado mi cuerpo. Y cuando mi padre me dijo: «Te estás convirtiendo en un vago», me pareció que tenía razón: me estaba convirtiendo, transformando. Y lo estaba viendo y no podía hacer nada.

Tomaron una decisión: enviarme a estudiar a Estados Unidos. Y yo accedí. Estados Unidos estaba muy lejos de la bahía. Cari y yo no podríamos vernos, y flaqueé. No sabía si podría sentirme bien sin verla periódicamente. Se lo comuniqué por teléfono: «Me voy a Estados Unidos a estudiar.» Su silencio se metió por mi oído y luego me recorrió las venas y, para frenarlo, dije: «He de prepararme. Es necesario.» «¿Y qué va a ocurrir conmigo?», preguntó ella. Y yo también me pregunté: ¿Y qué va a suceder con Cari? No tenía la respuesta, sólo la pregunta. Le respondí: «Continuaremos escribiéndonos. ¿Cómo está tu madre?» Bajó la voz: «Se está haciendo vieja. Me lo dice constantemente.» Y añadió: «Voy a suspender el curso.»

Los exámenes se alargaron hasta julio y ya no dispuse de tiempo para ver a Cari antes de marcharme.

Entré en mi nuevo mundo como en una película que ya estuviera rodada. No parecía tan peligroso como el de verdad, y me entregué a esta sensación de facilidad durante bastante tiempo. No escribí a Cari hasta mediados de curso. Tampoco ella me contestó de inmediato y pensé que con toda razón estaría enfadada. Pasaron meses sin recibir noticias suyas y empecé a sentir cierto desasosiego: habíamos roto nuestra relación bruscamente, sin deshacerla antes, y esto no era bueno porque era una amputación violenta, era carecer violentamente de algo que hasta entonces tenía. A veces me parecía ver a Cari, incluso a Águeda a su lado. Compraban, hablaban o paseaban mirando distraídamente un grupo de gente entre la que estaba yo, pero ellas no me veían a mí.

La sorpresa llegó un día casi a final de curso. Recibí una carta desde la bahía, pero no era de Cari sino de Águeda. Me decía que hacía tres meses que Cari se había marchado de casa. Desde entonces no había vuelto a saber nada de ella. «No lo puedo creer», escribía Águeda. Yo tampoco podía creerlo. Y añadía: «Porque además mi hija me necesita. Como sabes, nunca nos hemos separado. Nunca ha dado un paso sin contar conmigo.»

154

Le contesté a Águeda que Cari no iba muy bien en los estudios y que en junio pasado ya había temido suspender el curso. Tal vez ahí radicara la clave de su desaparición. Después de echar la carta al correo, me di cuenta de la terrible palabra que había empleado: desaparición. Y esto me hizo recapacitar en mi forma de comportarme. Desde que vivía alejado de mi familia y de Cari sólo pensaba en lo que pensaba yo y no en lo que pensaban los demás.

Volví a escribirle. Quería borrar la mala impresión de la carta anterior. «A nuestra edad, casi todo el mundo se marcha de casa. Yo también me he marchado. Estoy seguro de que Cari va a dar señales de vida uno de estos días —y recordé unas palabras de la propia Águeda—. Cortar un vínculo que no se puede deshacer es insoportable para cualquiera. Cari volverá. Yo también volveré. A veces uno quiere olvidar quién es y dónde está simplemente para no darlo todo por hecho.»

Una carta escrita para tranquilizar no es tranquilizadora. A mí me dejó peor que antes y tal vez también a Águeda. No llegué a saberlo. Seguramente, de haberme contestado, me hubiera dicho que yo sólo me había marchado mientras que Cari había huido. Y tendría razón.

Lo cierto es que había ocurrido algo increíble: cada una se las debería arreglar por su lado. Y tenía la certeza de que Águeda no podría sobrevivir sin Cari, y que Cari nunca podría escapar de Águeda. Yo, por mi parte, no podía hacer nada. Y como era una mañana azul y cálida y no podía hacer nada, miré al cielo y al sol que se incrustaba milagrosamente en el cielo y pensé que tal vez, como a mí, a ellas se les habría ocurrido levantar la cara y mirar allí.

¿Dónde estaría Cari? ¿Qué haría? Podría desaparecer del mundo, pero no de mí ni de su madre. Y esto que ocurría con Cari ocurría con cualquiera. Yo mismo continuaba mi existencia en la vida de los que me habían conocido y ellos en la mía. Incluso el anodino padre de Cari existía en mi vida sin él proponérselo ni quererlo yo. Conocer es incorporar a tu corriente particular y es francamente difícil desconocer a alguien. A lo más que se puede llegar es a olvidar. Y aunque parezca que olvidas, tu vida no olvida. Por eso Cari estaba fingiendo separarse de su madre. Estaba seguro de que anduviera donde anduviera, Águeda se hallaba presente porque donde realmente vivía era en la cabeza de su hija.

No volví a tener más noticias de ellas. En mi casa tampoco sabían nada, aunque alguna vez me contaron con extrañeza que habían visto abiertas las ventanas del segundo y que, un día, en una de ellas había aparecido el cartel de «Se vende».

Yo pasé cuatro años más estudiando en Estados Unidos, salvo los paréntesis de las vacaciones. Durante este tiempo lo ya conocido se diluía en lo que estaba conociendo. Creí olvidar mucho. El pasado parecía perder importancia. Y por fin regresé definitivamente a Madrid, a vivir en casa de mis padres, como antes. Pero no era como antes porque ahora no tenía ninguna rutina, carecía de tareas fijas que hacer todos los días. Los años habían saltado sobre aquella casa y sobre mi familia y me habían lanzado Dios sabe hacia dónde. Mi sitio debía de estar por allí, aunque yo estaba ciego y sordo, incapacitado para dar con él.

Salía de casa empujado por un vago impulso y una vaga intención. Como la mañana de aquel día de finales de julio en que el aire se iba calentando rápida e implacablemente y recorrí el paseo de Recoletos, la plaza de Cibeles y la Gran Vía hasta quedar extenuado y sediento. El cansancio y la sed me comunicaban con la tierra. Mi cuerpo se había unido al calor y los años de mi vida se habían unido al cuerpo. Por primera vez, desde mi llegada a Madrid, sentí los pies firmes en el suelo. Ya no era un extraño ni un vagabundo sin sitio y no sabía por qué. Me precipité hacia mi casa sin pensar en nada. Todo lo que me rodeaba pensaba por mí.

Al entrar, mi madre me alargó un sobre y dijo: «Cari ha estado aquí. Te ha esperado durante una hora. No puedes imaginarte cómo ha cambiado. Ahora es idéntica a Águeda.» Miré a mi espalda como si todavía no hubiera terminado de marcharse. Mi madre continuó: «Por fin han vendido el piso.» Bajé corriendo a la calle, pero no la vi. Me acomodé en el banco del otro lado de la calle donde ella y yo, en una época remota, nos sentábamos a mirar y a estar allí eternamente. Abrí el sobre y desdoblé la hoja llena de aquella letra que conocía tan bien.

Me invitaba a ir a la bahía. Se había instalado allí definitivamente con su madre. «Me ha esperado y me ha perdonado −decía−. No la reconocerías. Es mucho más fuerte. Me siento segura con ella.» Ambos sabíamos que yo ya no volvería a ese lugar y que probablemente ella tampoco regresaría aquí. Cari había saltado sobre su fuga, sobre la bahía y su adolescencia para llegar a un tiempo común desde el que separarnos con naturalidad. Tal vez los dos sentíamos el alivio de haber querido a alguien sin necesidad de quererlo siempre. Me invadió una enorme y agradable pereza. Terminé de leer la carta con despreocupación, con una leve sonrisa de bienestar en los labios, con la convicción de que Cari le había dado más importancia a su vida que yo a la mía. Le había dado importancia a Águeda y a sus amantes, a la bahía, a su melancolía, a su viaje de varios años, a mí. Incluso esta misma calle tuvo importancia cuando ella se la daba.

«Ninguna persona envejece tanto como mi madre. Envejece para mí, para que yo lo vea y lo sepa. Ahora constantemente me habla de los años que pasan. Recuerda cuando vivíamos en Madrid y existía mi padre y yo era muy pequeña y ella era muy joven. Se remonta a su infancia y a lo que entonces quería y deseaba. De pronto, vuelve al presente sin que nada de aquello se haya cumplido y me mira con ojos que tienen la certeza de que no

157

se ha cumplido. Me pregunto si no será más importante, más valioso lo que realmente le ha ocurrido que lo que deseó. Hay que apartarse de los sueños para no convertirse en un fracasado y de la nostalgia para no convertirse en un triste. Si fuésemos las gaviotas que veo planear sobre la bahía, no soñaríamos. Sentiríamos el gusto de volar y de engullir algún pez sin estar pensando en ello y cuando nos hiriésemos, sentiríamos dolor sin estar pensando en el dolor. Una gaviota no se tortura. Vive y hace lo que tiene que hacer. Y por eso, por mucho que nos transformemos nunca llegamos a ser felices ni podemos dejar de pensar.»

Continuaba igual. Posiblemente Águeda tuvo razón cuando un día me dijo que su hija la necesitaba. Sólo en su madre Cari comprendía qué ocurría con los deseos de la gente, con el miedo y con la juventud, y ningún otro lugar o persona le aportaban este conocimiento, estaba casi seguro. Hice un último esfuerzo respecto a Cari. Busqué el recuerdo de sus ojos en una fotografía suya que aún conservaba. Estaba de pie junto a una motocicleta roja, con un impermeable. El pelo le llegaba a los hombros. Daba la impresión de que no saldría de aquel día de invierno y que no llegaría hasta aquí. Me miraba de frente, y yo noté que me dejaba en libertad, que salía de su pensamiento con la naturalidad de un pájaro que vuela.

Paloma Díaz-Mas

La niña sin alas

Paloma Díaz-Mas (Madrid, 1954) reside en Vitoria, donde es profesora de la Universidad del País Vasco. Ha publicado el libro de cuentos *Nuestro milenio* (1987), el libro de viajes *Una ciudad llamada Eugenio* (1992), el ensayo *Los sefardíes: Historia, lengua y cultura* (1993) y dos novelas: *El rapto del Santo Grial* (1984) y *El sueño de Venecia* (1992, Premio Herralde).

«Había una vez un tiempo en que los hombres no tenían alas.»

Así empezaban todos los cuentos que me contaba mi madre cuando yo era niña: remitiéndose a una época antigua y tal vez mítica en que los hombres no habían adquirido aún la capacidad de volar. A mí me gustaba mucho oír aquellas historias, y le pedía que las repitiese una y otra vez, aunque ya me las sabía de corrido: la de aquel héroe desalado que, a falta de alas propias, se construyó unas de cera y plumas de aves; pero, al volar cerca del sol, la cera se derritió y él cayó al mar y se ahogó. O aquel otro que inventó un artilugio de lona y madera para, arrojándose desde lo alto de las montañas, planear sobre los valles de su país aprovechando las corrientes de aire cálido: una cosa que hoy en día todos hacemos de forma intuitiva, pero que así contada me parecía nueva e inusual, como si yo misma acabase de descubrir un fenómeno tan cotidiano que hoy nos pasa inadvertido.

Lo que jamás pensé mientras oía los cuentos de mi madre es que alguna vez yo misma llegaría a sentir como propia y cercana la carencia de alas y que aquel mito de los hombres mutilados acabaría habitando junto a mí.

Nunca tuve una gran vocación por la maternidad. Recuerdo que, de adolescentes, muchas amigas mías ha-

161

cían planes ilusionados con respecto al momento en que se convertirían en madres; parecía que no tuviesen otra vocación en el mundo y a mí me irritaban profundamente sus grititos de alegría, sus mohínes y morisquetas cada vez que veían un bebé: se apostaban junto a la cuna o el cochecito, empezaban a proferir gorjeos y arrullos de paloma y acababan pidiéndole a la madre que, por favor, les dejase arropar un momentito a la criatura entre sus alas. Y cuando, obtenido el permiso, se colocaban al niño sobre el pecho y lo envolvían entre sus plumas remeras, ponían tal cara de felicidad que yo no sabía si emprenderla a bofetadas con ellas, por bobas y pánfilas, o conmigo misma, por despegada e insensible. Verlas tan ilusionadas por algo que a mí me dejaba fría me hacía sentir mal.

Con el tiempo fui comprendiendo que ser madre no era ninguna obligación. Por eso, al filo de los cuarenta años, felizmente casada y situada profesionalmente, había renunciado a tener hijos, pero de una forma casi automática: sencillamente, la maternidad no entraba en mis planes. Entonces supe que me había quedado embarazada.

Desde el principio, a mi marido y a mí nos extrañó la solícita preocupación del médico, su insistencia en someterme a pruebas y análisis, en repetir algunos de ellos alegando que no veía claros los resultados. Parecía que algo no iba bien y, en efecto, así era: estaba ya en el inicio del tercer mes de embarazo cuando el doctor nos convocó en su despacho y nos dio las dos noticias. La primera, que el bebé era una niña; la segunda, que con toda probabilidad nacería sin alas.

Me ofrecieron la posibilidad de interrumpir el embarazo, pero no quise. Yo, que nunca me había sentido atraída por la idea de ser madre, amaba ya a aquella niña desconocida, aun a sabiendas de que sería un lastre para toda mi vida. Pero era ya mi hija y por nada del mundo quería renunciar a ella.

El parto se dio bien, fue sorprendentemente fácil. Parecía como si aquella criatura mutilada llegase llena de ganas de vivir y como si la fuerza que debería tener en sus alas inexistentes se hubiera localizado en otras partes del cuerpo, especialmente en las extremidades: ya durante el embarazo me sorprendió el vigor de sus patadas en el vientre y todo el personal que asistió al parto pudo notar la fuerza que hacía la criatura con brazos y piernas.

Cuando me la trajeron, envuelta aún en sangre y grasa, para ponérmela sobre el pecho, yo la estreché entre mis alas cansadas y noté lo cálida que era su piel desnuda. Me pareció la niña más hermosa del mundo, toda rosada y limpia, sin el lanugo de plumón frío y enmarañado que suelen tener los recién nacidos. Aquella desnudez me conmovió tanto que pensé por un momento que la humanidad, desde que tiene alas, ha perdido la calidez del contacto de piel sobre piel, porque siempre se interponen las plumas ásperas y llenas de polvo. Y quién sabe si al ganar alas no hemos perdido otras muchas cosas, dulces y suaves como la piel desprotegida.

Desde aquel día, la niña fue el centro de mi vida. Los primeros meses no resultaron problemáticos: al fin y al cabo, un bebé normal tiene las alas tan débiles que no puede volar ni servirse de ellas para ningún otro menester, así que mi hija parecía casi normal. Comía bien, dormía a sus horas, empezó muy pronto a conocernos, a sonreír y hacer gorjeos. Cuando veía que me acercaba a su cuna, en vez de extender las alas me echaba los brazos, pidiéndome que la cogiera. Salvo por ese detalle, en nada se diferenciaba de cualquier otra niña de su edad.

Naturalmente, el paso de los meses fue poniendo de manifiesto la diferencia. Entre los ocho y los diez meses lo normal es que un niño ya se ponga en cuclillas o arrodillado, despliegue las alas y comience a batirlas, preparándose para el primer vuelo. En vez de eso, mi niña se sentaba y se balanceaba adelante y atrás, o se apoyaba en las rodillas y las palmas de las manos e intentaba andar a cuatro patas, como los perros o los gatos. Mi marido se ponía enfermo cuando la veía hacer

163

eso: decía que parecía un animal. Otros familiares me sugirieron que la atase a la cuna para quitarle ese vicio. Yo no quise de ninguna manera: defendí su derecho a ser diferente, a expresarse y moverse de forma distinta a como lo hacemos nosotros, a como lo hacían todos los demás niños. «Si no tiene alas, de alguna forma tiene que moverse, ¿no?», les decía yo a todos. Pero nadie entendía: me decían que debía acostumbrarla a moverse como los otros niños, que de mayor quizás podría suplir su carencia con unas alas ortopédicas, que si era distinta no podíamos fomentar que lo fuese cada vez más. Los enfrentamientos se hicieron progresivamente más violentos con todo el mundo: con mi marido, con los familiares, con los amigos. Nadie quería entender que si la niña era diferente, resultaba lógico que lo hiciera todo de diferente manera.

Un día descubrí algo nuevo y maravilloso. Yo había visto en grabados y cuadros antiguos que, en los tiempos de los hombres sin alas, las mujeres solían tomar en brazos a sus hijos, en vez de acogerlos entre las escápulas y las plumas remeras, como hacemos hoy. Recuerdo que era una tarde de invierno, estaba sola con mi hija y la niña reptaba por la alfombra del salón; en un momento determinado se sentó en el suelo y me tendió los bracitos. Y yo, guiada por un impulso incontrolado, también extendí los brazos hacia ella y la tomé, la levanté en vilo y me la puse sobre la falda. No puedo explicar la dulzura que me invadió entonces: tenía a mi hija en el hueco de mi regazo y mis brazos la enlazaban por la derecha y por la izquierda; y, lo que resultó más sorprendente, ella me imitó, enlazó sus bracitos en torno a mi cuerpo y así estuvimos las dos mucho tiempo, en esa postura nueva y nunca usada, una frente a otra, cuerpo contra cuerpo, ella sin alas y yo con las mías apartadas hacia atrás, unidas únicamente por nuestros brazos entrecruzados.

Desde entonces, adquirí la costumbre de cogerla siempre de aquella manera. Al principio lo hacía a escondidas, en parte por vergüenza y en parte porque no quería provocar más discusiones con mi marido, que cada vez aceptaba peor a nuestra hija; pero pronto empecé a tomarla de aquella forma en cualquier momento, en casa, y luego no me importó hacerlo en público. Las primeras veces me costaba muchísimo trabajo alzar a la criatura hasta mi falda, pero poco a poco mis brazos se fueron fortaleciendo a fuerza de repetir ese movimiento, e incluso yo diría que llegaron a tornearse de forma diferente, como si algunos de los músculos se desarrollasen y moldeasen para adecuarse a aquella postura. En las largas horas con mi niña en brazos entendí por qué los cuadros antiguos que representan el tema de la maternidad emanan esa ternura para nosotros inexplicable y no nos suscitan el rechazo que sería normal, al tratarse de escenas entre seres mutilados: la madre que sostiene a su hijo en los brazos se comunica con él tan intensamente o más que la que lo arropa entre sus alas. Aunque, naturalmente, las pocas veces que me atreví a manifestar semejante opinión todo el mundo bajó la cabeza y guardó el silencio que siempre suscita la lástima por una desgracia ajena.

Dejé el trabajo y me volqué en la niña cada vez más. O tal vez se volcó ella en mí, porque lo cierto es que me descubrió un mundo nuevo, un mundo a ras de tierra. En vez de volar, reptaba por el suelo; luego empezó a ponerse de pie y a dar pasitos, avanzaba agarrándose a los muebles y lograba desplazarse de esa manera por toda la habitación; cuando le faltaba un punto de apoyo, caía de bruces y se apoyaba en las palmas de las manos. Algo muy distinto a lo que hacen los demás niños, que aprenden primero a volar y luego, cuando ya tienen las alas lo suficientemente fuertes, comienzan a andar; de esa manera las alas les sirven de paracaídas en sus primeros pasos y, cuando se sienten caer, no tienen más que desplegarlas. Mi niña, en cambio, aprendió a andar mucho antes de lo habitual y, lo que era más sorprendente, sabía hacerlo sin ayuda de las alas: era asombroso ver cómo se las ingeniaba para guardar el equilibrio en una postura dificilísima, con la espalda recta y sin más contrapeso que los movimientos de los brazos y la cabeza. Parecía inverosímil verla sostenerse así, avanzar bamboleándose pero sin caer y salvarse, cada vez que tropezaba, echando adelante los brazos para amortiguar el golpe.

Me acostumbré a echarme en el suelo para estar con ella. Mi marido se indignaba al verme así, tumbada boca abajo sobre la alfombra, con las alas plegadas como las de una mariposa, apoyándome en los codos para jugar con mi hija. Pero a mí me gustaba ver las cosas desde allí abajo, como ella las veía, sin la posibilidad de alzar el vuelo y colocarse en lo alto del armario o mirar la habitación desde una esquina del techo. Y poco a poco me acostumbré a no volar.

Los amigos y la familia me decían que volase, que hiciese vida normal, que saliese más a la calle, que me estaba enterrando en vida. Pero yo no les oí: era completamente feliz.

Mi marido pasó por varias fases, de la indignación al aburrimiento. Cuando la niña cumplió dos años apenas nos hablábamos, casi ni coincidíamos en casa: él siempre tenía mucho trabajo y sólo aparecía, malhumorado, los fines de semana; los días de diario volvía a casa tan tarde que se deslizaba a oscuras entre las sábanas, creyéndome ya dormida. Pronto empezó a tener trabajo también los sábados. Y luego, viajes de negocios los fines de semana. Entonces volvió a estar de buen humor y yo supe lo que pasaba, pero no dije nada: no estaba dispuesta a que mi hija se criase sin la figura de un padre, aunque fuese meramente simbólica. Una niña así necesita toda la protección que se le pueda dar.

Con dos añitos casi hablaba de corrido; era una niña extraordinariamente despierta y yo me sentía orgullosa de ella. Pero poco después empezó mi angustia.

El primer indicio lo tuve una noche, mientras la bañaba. Le estaba enjabonando la espalda y de repente noté una pequeña aspereza a la altura del omóplato izquierdo. La examiné, pensando que quizás se había herido: sólo vi una pequeña rojez y no le di mayor importancia.

A los pocos días, las rojeces eran dos, colocadas simétricamente a los dos lados de la espalda. Al tacto se notaba una minúscula dureza bajo la piel. Me asusté mucho, pero no quise llevarla al médico y me limité a aplicarle una crema cicatrizante. Al cabo de una semana la cosa iba peor: las durezas habían crecido y eran ya dos bultitos como dos flemones, hinchados y al parecer dolorosos al tacto, porque la niña se quejaba cuando yo pasaba el dedo por encima de su superficie.

Le puse un apósito con más crema cicatrizante, pero no surtió efecto; le cambiaba los apósitos dos veces al día y los bultos seguían creciendo. Entonces tomé vendas y esparadrapo y le vendé todo el tórax, procurando que estuviese firme pero no demasiado apretado. Por fortuna era invierno y nadie notó los vendajes, ocultos bajo las ropas abrigadas de la niña.

Tampoco esto surtió efecto. Los bultos eran cada vez más grandes y más duros, como un hueso saliente que amenazase con rasgar la piel. No sabía qué hacer ni a quién acudir.

Hasta que sucedió lo que tenía que pasar. Una mañana fui a levantarla de su cama y la encontré boca abajo, en contra de su costumbre. Bajo las ropas de la cama se marcaba un bulto sospechoso y supe lo que era antes de levantar las sábanas.

Allí estaban: incipientes pero lo suficientemente bien formadas como para que no hubiese ninguna duda. Durante la noche habían brotado, rasgando la piel, y la sabanita de abajo estaba ligeramente manchada de sangre. Se me vino el mundo abajo.

Supe que sólo podía hacer una cosa. Levanté a mi hija en brazos, le desnudé el torso y mordí con toda la fuerza que me daban la rabia y la desesperación. Me llenó la boca un sabor asqueroso a polvo y ácaros: parece mentira

167

la cantidad de porquería que pueden acumular unas alas en sólo una noche.

A la niña no pareció dolerle. Quizás sólo sintió una ligera molestia, porque lloró un poco y se calmó enseguida. La llevé al cuarto de baño, le hice una cura rápida y logré cortar la hemorragia, desinfectar la herida y vendarla.

Estuvo unos cuantos días con los vendajes, que yo cambiaba con frecuencia. Cada vez que se los quitaba, examinaba el progreso de la herida. Vi con alivio que cicatrizaba pronto y bien y a las pocas semanas estuvo cerrada del todo.

Ahora no se le nota apenas. Únicamente tiene una ligera cicatriz invisible, que sólo puede apreciarse al tacto si se pone atención o se va sobre aviso. Ha vuelto a ser la niña que era y yo sigo entregada a ella. A quienes me dicen que me estoy enterrando en vida, que debería volver a trabajar, que he perdido a mi marido, que no puedo atarme a la niña de esta forma, les contesto que estoy contenta con lo que hago y que la obligación de una madre es sacrificarse por su hija.

Mercedes Soriano

Ella se fue

Mercedes Soriano (Madrid, 1956) es autora de las novelas *Historia de no* (1989), *Contra vosotros* (1991), *¿Quién conoce a Otto Weininger?* (1992) y *Una prudente distancia* (1994). Vive actualmente en un pueblo de Almería.

Ella se fue, y se quedaron los pájaros cantando y encogido nuestro corazón, mi corazón, por el repentino hueco de su ausencia. Ella se fue, ella, a menudo empeñada en llenarlo todo, ella y su risa y su movimiento continuo y sus ganas de pelea, ella y su llanto y su forma de vivir la ficción, su gusto por la representación o la escena, algo que quizá yo torpemente interprete así y que quizá no sea eso, en cualquier caso parece disfrutar inventando personajes y situaciones –«dice el señor Martín que vendrá a trabajar mañana a las siete», nadie sabe quién es este Martín, «¿dónde vive?», «en Valencia», responde ella, «sí, vive en Valencia. En Valencia hay autobuses y coches y aviones y caballos y elefantes. Yo me voy a traer un elefante, o dos, de Valencia», «no, niña, en Valencia no hay elefantes, bueno, a lo mejor hay uno», «sí, sí que hay», ya ciertamente irritada–, como si recreara con su imaginación porque tuviera una viva necesidad de hablar, de expresarse a través de las palabras, la voz, contar, decir, relatar, conversar, comunicarse, en definitiva, intentar lazos. Porque con unos emplea la representación (y puede que especialmente lo haga conmigo y yo esté haciendo extensiva a los demás esta manera de establecer contacto, ¿y por qué su arte teatral me irá dedicado?, ¿tal vez es que ella es un espejo y nos devuelve a cada uno la imagen más relevante de cada yo, probablemente la imagen que me-

171

nos conocemos? Ella ve tonos que nosotros no vemos, ella saca a relucir estridencias que nuestra falsa seguridad ha convertido en imperceptibles, ella nos hace sabotaje, pretende asustar a nuestros espíritus, quiere imponerse, dice «yo soy la jefa», pero porque ha oído decir «tú no eres la jefa, tú no vas a imponer aquí tu ley», ella no ha inventado esa categoría de jefe, ¿o sí?, la primera vez que recibió un perrillo lo tiró al suelo desde la altura de su mano, medio metro, más o menos, no se le cayó, no, lo dejó caer a propósito, del mismo modo que metió a un pequeño conejo en la bañera o que dejó a la tortuga *bajar* por las escaleras, signos todos que nosotros interpretamos como un exceso de crueldad o de tontería y que puede que respondan, sin embargo, a una cierta manera de captar la vida, una manera de la que presumimos habernos olvidado y que, no obstante, reaparece ante la mínima provocación, porque lo que en ningún caso hemos olvidado, que no, que no estamos dispuestos a renunciar a ello, es que somos nosotros los jefes, *les maîtres à vivre, comme les maîtres à penser*), o no, no es que con unos emplee la representación y con otros no, es que selecciona un modo de representación para cada cual, según lo que perciba fundamentalmente, así ella responde, ella actúa en función de lo que capta, esa impresión da, es decir, como si no tuviera prefijado un esquema de comportamiento, lo que se llama personalidad, individualidad, especificidad, originalidad. O quizá, justamente, es que lo original (en el sentido de *origen*) sea precisamente un comportamiento en principio abierto, estímulo-respuesta, *do ut des*. Ella se fue y nos quedamos todos boquiabiertos, un poco suspensos, yo noté que la congoja otra vez quería invadir el pecho, atravesar la garganta, llegar hasta los ojos para transformarse en lágrimas, pero la contuve y la retuve y no la dejé pasar, no como otras veces en que se desborda y ella me contempla como partida, dolorida, exhausta, y después siempre me digo que no es justo que eso ocurra, por qué ella tiene que ser testigo de ese dejarse llevar por la congoja, la ira o la fatiga –«no es nada, mamá, tranquila», «mamá, ¿qué te pasa? Por favor, mamá, no te enfades, mamá»–, y entonces noto cómo también la congoja, la mía, atenaza su corazón y lo castiga, y después esta como desesperación al comprender lo que he hecho, este como arrepentimiento que llega tan tarde y que no sirve de nada, absolutamente de nada, porque no fui capaz de dominarme, porque le negué a ella la risa y la sonrisa y la paciencia y la alegría, este propósito (probablemente vano, una vez más, un propósito insincero, por lo tanto, un falso propósito, ¿será que no tenemos enmienda?, ¿será que *no tengo enmienda?*, ¿es posible que no haya nada que enmendar?, ¿es posible, sinceramente, así creerlo?), este propósito que no acaba de realizarse como profundo deseo, esta como tristeza que arrastramos quienes nos tenemos por los menos occidentales de los occidentales, este plumaje agónico que enseguida ostentamos los que nos tenemos por menos perturbados, los que nos empeñamos en dar la batalla a ciertas pautas aprendidas, más tristes que un manojo de acelgas descoloridas, más tristes que la fruta contaminada y podrida, como si un caos tenebroso, ininteligible, confuso, dictara nuestros movimientos, espasmos más bien, estados de ánimo que delatan cuánta violencia, cuánta torpeza, cuánta dispersión habita en nosotros, «y la carne se hizo verbo y habitó entre nosotros», la palabra destemplada, rígida, atormentada, que sale de nosotros, ¿espadas como labios? No, lenguas como filos, cuánta palabra de la repetida, opaca, ajada, flotando en el aire una vibración de vaciedad, sin otro fin que usurpar el silencio, arrebatarle al silencio toda su fuerza, no al silencio exactamente sino a la atmósfera liberada de nuestros ruidos, un momento sin nuestra maldita intervención, un rato sin escucharnos, dejarnos penetrar por otra clase de escucha, en otra longitud, cierta música del exterior no programada por nuestra maldita inteligencia, por nuestro beligerante modo de sentir la realidad, la vida, un modo tan poco propicio a la armonía, al menos la remota idea de armonía que queda en nosotros, seres envejeciendo antes de tiempo, acartonados por tanto engaño, satisfechos por habernos dado una explicación, y esta manía idiota de recordar lo que sería necesario olvidar y de olvidar precisamente lo que tendría que ser recordado, este cruce de cables del que parece que no vayamos a salir nunca, ella tiene que notar por fuerza cuánta confusión todavía me alimenta y lo curiosa que resulta nuestra incongruencia, sin duda ella nos juzga y nos mide y nos calibra y nos sopesa y nos sitúa en algún espacio y, según eso, ella vaya forjando lo que se llama comportamiento. No sabemos nada de nada de nada y nos comportamos como si supiéramos, afirmamos íntimamente no saber nada para actuar socialmente como si supiéramos, somos de un exhibicionismo francamente irritante, comediantes de opereta, fatuos como rosa sin aroma. Ella se fue y quise yo prepararme desde el principio para que se fuera, para que no creyera nunca que su madre fuera a retenerla, vaya un criterio y vaya estupidez y vaya descubrimiento, cuando lo que yo más quería era tenerla entre mis brazos esa noche, esa primera noche de su vida nueva, esa primera noche de mi nueva vida, cuando ella era ya criatura entre nosotros, y seguramente que también era eso lo que ella más quería, pero yo dejé que la inteligencia se impusiera, que el juicio dictaminara, que el futuro me poseyera y la separase de mi cuerpo con plena conciencia y con pleno dolor, un dolor innecesario, por otra parte, ahora lo comprendo, tarde, como siempre lo comprendo todo, y una conciencia estrecha, tanta ciencia sin conciencia, ya lo canta Alfa Blondie, que para eso nació en África, y ya está hecho y hecho está, no hay nada más que decir. Sólo una mujer, casi susurrando, sólo una, me dijo «achúchala todo lo que puedas ahora, después ya no se dejará», la única persona que hubiera aprendido algo del hecho de ser madre, ya se sabe, no hay nada peor que acostumbrar a un crío a los brazos, no hay nada peor,

¿peor para quién?, ¿por qué peor?, ¿qué tienen que ver los brazos con la esclavitud?, ¿qué tienen que ver el afecto y la independencia? O es que necesariamente donde reina libertad amor no entra, tanto miedo a la ternura le tenemos, cuánto cuidado en mantener nuestro lado de piedra, como si al sentirnos o tocarnos nos deshiciéramos, como si sólo fuéramos capaces de mirarnos desde el rigor, la sospecha y la inclemencia, guerra a la piedad, sin cuartel, guerra, ni nombrarla, piedad, asunto de débiles, ¿y si dijéramos lástima, «es que me da lástima»?, ¿o suave, «hay que ser más suave»? ¿No tendrá ella razón al decir «tranquila», «tranquilo»? Es sosiego lo que tenemos que invocar, más dosis de sosiego, menos crispación, menos justicia, menos venganza, sosiego manando del espíritu que nos gobierna, ese rebelde tan cansino y serio, esas pocas ganas de felicidad que a veces nos devoran, sosegarse con la brisa y el zumbar de las abejas y la agitada respiración de ella, su modo atropellado de irrumpir y llamar y correr y saltar y cambiar de actividad y querer jugar y hacer y trabajar, en base a qué ella ha establecido ya una distinción entre actividad y trabajo, qué significa para ella «trabajar», sosegarse en el privilegio de sentir el crecimiento de una criatura nueva, dejarse sorprender por sus explicaciones y preguntas y ocurrencias, invadirse de otredad, comprender su modo de distribuir el tiempo, averiguar lo que es capricho y lo que es estratagema y lo que es puro, limpio, *fair, fair play,* el juego de avanzar y retroceder, el juego de acercarse y distanciarse, el juego de agobiarse y distenderse, el juego de la caña y el viento, de las hojas y la tormenta, de la arena con las olas, de la flor con el insecto, ven y expóliame y cuanto más me expolies más me hago yo fuerte, o algo parecido, este retenerse, este repliegue, pliegue, Deleuze, dónde el acento, en lugar de expandirse, desprenderse, abrirse, la espinita de perder el ego al que agarrarse, *egorrarse,* emborracharse de ego, eso sí que es vicio y dependencia y droga, la desmedida afición al ego, *ego absolvo te,* ¿es

175

que necesitamos un ego que nos absuelva? Nosotros ya no pecamos, al dejar de ser niños dejamos de pecar, o sea, al perder la inocencia perdimos el pecado, la inocencia, un estado de credibilidad, un estado de confianza, un estado de cordura, ¿por qué, en definitiva, es más cuerda la experiencia que la inocencia, más sabe el diablo por viejo?, la perfecta inocencia de mirar al sol y estornudar, pero sólo la perversión nos conmueve y nos conviene, el mal del antiguo pecar, lo que se entiende por bien, bondad, verdad, etc. nos deja indiferentes cuando no llega a producirnos grima, como si el pretendido bien despertara en nosotros, espíritus selectos, los tenidos por espíritus selectos, la flor y la nata de la crema occidental, cuánto empalago, repugnancia, repugnancia hacia la inocencia, la naturalidad, lo elemental. Lo elemental no es un queso suizo, aunque ella insista en que sí, sencillamente se refiere a lo que no se puede cuestionar, es indiscutible, no hay nada que decir, nada que descomponer, lo que hay, por ejemplo, más allá del gen, más allá de la molécula más simple. «Vienes de la luna o de las estrellas», dijo el padre, y ella le replicó, con bastante autoridad, «no, de mi mamá, del ombligo de mi madre», y es que de pronto nos dimos cuenta de que se había transfigurado, que nacer el hermano y transformarse en una mujercita había sido todo uno, «cuida bien de mi hermano», fue su última recomendación antes de marchar, y me pregunté si la criatura se comportaría igual de ser macho en lugar de hembra, poniéndose encima vestidos para bailar o cogiendo el almirez para hacer la comida, o es que sobre todo había visto a las mujeres realizar actos de ese tipo, actos femeninos, y ella los reproducía no como carga sino como juego, fuente de placer. Ella, con sus sandalias del revés y sus ganas de pelea y su ternura y su velocidad, como si tuviera una prisa febril por asimilar la vida y llenar cada instante de actividad, un torbellino, emoción en movimiento, vale la pena vivir por mirarla, por disfrutar a través de ella de la belleza, vale la pena vivir porque ella ilumina con su mirada la oscuridad del mundo y nos regala su salud y su fortaleza, ligera como pétalo, dura como diamante, obstinada como cenizo, secreta como arcano, cuál será la combinación que abra tu caja fuerte, qué habrá dentro, porque sólo vemos lo que nos muestras, y a veces ni siquiera lo que nos muestras vemos, estoy contigo el día entero y todavía no te conozco, pero aprendo que existir no significa necesariamente sufrir. Crear instantes de fulgor, te adiviné cuando todavía no habías aparecido, te deseé sin ningún temor pero no te deseé para mí, te deseamos los dos, jamás fuiste una imposición, no te calculamos y llegaste porque eran tan grandes nuestras ganas de compartir este cielo raso y este mar de plata y esta tierra sedienta y este estar juntos y aquella noche de las estrellas fugaces, ráfagas de luz invadiendo la noche y por cada una tú en el corazón y en la piel y en el pensamiento. Instantes de fulgor para mí y para los otros, instantes de otra clase de vida, otra *calidad* de vida en las antípodas de esa teórica idea de *confort*, cáncer que consume las sociedades. La extraordinaria sensación de haber sabido dar, de haber ofrecido momentos extraordinarios (es decir, inusuales, diferentes, especiales, deslumbramiento, deslumbrarse), el privilegio de no existir en soledad (cuántas veces hemos estado a solas con el otro, cuántas veces hemos estado con el otro a solas, la soledad más profunda, la del abandono, cuántas veces nos hemos sentido abandonados, ultrajados, humillados, cuántas veces nos hemos sentido maltratados y cuánto rencor hemos acumulado, rencor para devolverlo, para arrojarlo sobre nuestros hijos, lo que se dice lo más querido, nada como el amor de una madre, la madre es lo más sagrado, la madre de Dios, la madre del cordero, la madre del vino, honrarás padre y madre, escupir nuestra frustración sobre los hijos y hacerlo, además, sin ser conscientes, como mucho saberlo cuando ya está hecho, y es así como cometemos desmanes, así, tontamente, sin darnos cuenta). La torpeza del egoísmo nos domina, juguetea como guiñoles con nosotros, nos azuza y espolea. Y si no el egoísmo, ¿qué entonces? ¿Desintegrarse, dejarse comer por los perros? ¿Ofrecerse sólo a paladares exquisitos? ¿Acaso no es lo que se llama amor también un asedio? Cuando la cría te reclama con insistencia, ¿qué pretende? Cuando su interés pasa por ti, cuando quiere estar contigo, cuando exige con premura tu participación, ¿por qué negársela?, ¿por qué inventar discursos sobre autonomía, independencia y todo eso?, ¿por qué experimentar como imposición de la criatura lo que quizá sea flaqueza nuestra, un aberrante concepto de la libertad? Según consta, ni las mujeres pudientes –ni los hombres pudientes– se han ocupado personalmente de sus crías, mucho menos se han entregado a ellas. Y en nuestros días, bueno, los occidentales pagan a alguien para que se ocupe de los hijos, los ocupe, los mantenga ocupados mientras ellos y ellas, padres y madres, se ocupan en otros asuntos, al parecer de mayor enjundia puesto que demandan mucho más tiempo que los hijos y exigen las mejores energías de cada día, de cada cual cada día. Los padres occidentales pasan una media de una hora diaria con sus hijos (media aún más baja en el caso de los españoles, reciente encuesta norteamericana de no sé qué institución), y ello sin que se especifique en qué consiste eso de *pasar el tiempo*, las madres trabajan tanto, llegan agotadas las madres a casa, y todavía hay que prepararse para el día siguiente, pobres madres, pobres padres, pobres, nenes y nenas, pobres por esa manera de quererse y de estar juntos que consiste en estar juntos lo menos posible so pretexto de mantener una supuesta calidad de vida de la que ni siquiera hay tiempo para disfrutar, ridículo, ganar dinero para no tener tiempo. Deja pasar el tiempo, consiente en que el tiempo actúe, amiga mía, y te irá mejor, consiente, el tiempo, que cura las heridas, no te precipites sobre él, no quieras sujetarlo, afloja las bridas, suave, invoca al sosiego y habrá más, evoca las situaciones completas (si es que alguna vez

178

hubo alguna en tu vida) en las que el tiempo no cuenta y se enrosca el ser en una disponibilidad perfecta, no turbada por nada, la entereza de la entrega, la entrega como dignidad, la dignidad de la entrega, una entrega sin ánimo de lucro, y te lucrarás más. Pero ¿es posible?, ¿creo yo realmente esto que escribo?, la provocación de la armonía, el denodado empeño por dejarse atrapar por ella, ir a su encuentro, que no es asunto exclusivamente musical la armonía, sosiego, suave, que me estás matando, la calma de la pausa, no el *stress* del *break,* suave, *langsam, doucement,* al compás del tiempo, siguiendo su batuta sin preguntarse, que preguntarse no sirve absolutamente de nada, ella no para de preguntar «¿y por qué?», pero no está verdaderamente preguntando, no parece ser su objetivo ese *saber* que se supone hay detrás de la pregunta, el ansia de saber, tan loado y encomiado, en realidad parece que pretenda demostrar que tú no sabes, se diría que lo que en realidad pretende es enfrentarte a tu aguante y a tu paciencia y a tus nervios, tanto es así que detiene sus porqués cuando se le empieza a preguntar por qué, también ahí se siente ella enfrentada a sí misma, a la estupidez del porqué que no tiene fin, la infinitud del porqué y la falacia de todos los razonamientos. Por qué tienen los hijos que acostumbrarse al abandono de quienes se dicen madres y padres, por lo menos las crías de las clases tenidas por más favorecidas, favorecidas desde el punto de vista social, favorecidas desde un baremo de consumo y opulencia, las crías en la guardería o con el canguro o la *baby sitter,* pálidos remedos de la *nurse,* caricaturas de la tata, la otra, la que no era la madre pero lo era, hijos abandonados en medio de una comodidad exasperante para quienes después pesa más el frío del abandono que el calor de la comodidad, un nuevo ejército de frustrados para seguir poblando la tierra, creced y multiplicaos. Por su libertad les abandonan, por no renunciar a lo que consideran su libertad renuncian a ellos. Lo más duro de vivir con ella es que continuamente me muestra quién soy, desvela mi herencia. La imagen de madre con hijo recorre la Historia desde antes del cristianismo y se exacerba con él y, así, qué paradoja, la actitud combatiente y combativa (en el mejor de los casos) de muchas mujeres occidentales que deciden hacer el hijo sólo para ellas –contando mínimamente con el hombre, a veces tan mínimamente que se trata de un anónimo– encuentra su referencia directa en la propia concepción del Cristo, madre con hijo, virgen con niño, Pietà, madonna, el hombre inexistente o elevado a la categoría cornucopial, no deja de resultar irónico que se celebre la fiesta del padre el mismo día de san José, es lógico que el macho intente recobrar su parte, ella es también parte de su padre porque su padre la quiso, no hubo hecho consumado, dos hombres hablaban entre ellos y decían haber comprendido lo que era la desolación cada vez que tenían que dejar a sus hijos en manos de sus madres, de las que se habían divorciado, decían eso y que en alguno de esos momentos habían llorado con una mezcla de impotencia y amargura, en fin, que los hombres también lloran. Nunca madre con hija, salvo en algunas tardías representaciones pictóricas, Mary Cassat, Berthe Morisot, pintura ejecutada por mujeres, del bienestar burgués a la crudeza del parto reflejada por Frida Kahlo en ese cuadrito, ¿necesariamente parir ha de ser equivalente a dolor? De hecho, el dolor se olvida, sólo permanece la idea de dolor, el dolor racionalizado, que ya es, ese cuadrito, esa representación inquietante en la que la serenidad de las vírgenes y madres que sostienen en el regazo a sus crías es sustituida por la tensión del grito y el esfuerzo de los músculos. Cioran anotó que un día su madre le espetara que habría preferido abortar de haber sabido que daría a luz a un monstruo, lo cual demuestra que una madre puede arrepentirse de haberlo sido, del mismo modo que una mujer puede negarse a ser transmisora de la existencia, ¿qué es eso que dicen instinto maternal? Eso tan cacareado es, por encima de todo, una decisión, no sucede al margen de la voluntad como a aquella marquesa de O, paralelo literario e histriónico de María, expresión primera y última de la familia posmoderna, madre y cría en unión y padre como comparsa, la opacidad de una figura a la que, no obstante, es preciso nombrar para que no se borre definitivamente, Dios padre, la vastedad del universo o la nadería de una intención urdida por el hombre, otra de sus invenciones y no la menos peligrosa, al menos otras culturas atribuyen a Cielo y Tierra el mismo papel en la concepción, evanescencia y solidez imbricándose, una forma al menos más humana –también más generosa, quizá por más *primitiva,* como a ella le pasa a veces, pródiga como un almendro– de explicación, cielo y tierra, noche y día, sol y luna, en fin, el misterio que jamás se alcanza, distante de la manipulación científica, distante asimismo de la dichosa autoexploración. La autoexploración es sólo un momento de la vida, un momento en principio no incitado, que surge de la propia criatura, un momento sin calificativos, inocente o perverso, esto o lo otro. Ella se fue y parecen más densas las horas sin su presencia. Con la educación, autoexplorarse pasa a ser algo artificial, una situación provocada desde el exterior hasta que llegas tú, hija, y rompes con todo, llegas rompiendo y tu madre contigo y ya autoexaminarse se presenta como otra más de las faustas estupideces porque ahora eres tú la ocupación, tú eres parte principal del mundo, ¿experimenta lo mismo el macho? Él nos envuelve con su capacidad para anticiparse y lo que él experimenta como imposibilidad de crear, para él no hay duda de que la mujer es más fuerte que el hombre, así lo dice, y probablemente, en definitiva, sea el arte una sustitución de esa imposibilidad de germinación interna, física y real, irrefutable, la creación obvia y pura, los movimientos de la criatura en la esfera líquida hasta la presión que reclama salir hacia la luz, esa salida definitiva, y a partir de eso estás fuera de mí y más te estimo y, sin embargo, la mujer es capaz de olvidarse de sus crías,

181

es capaz también de aniquilarlas contradiciendo cuanto se ha contado sobre el famoso instinto, y siempre existe la maldad del macho como excusa y justificación, una se sumerge en la desgracia y ya lo único que ansía es esfumarse, perderse, partir, dejar atrás, coróname con la entereza, vida, dame la oportunidad de regocijarme, de regocijarnos, en nuestras criaturas y que a ella la suerte le sea propicia —por lo menos tan propicia como hasta ahora—, que seas feliz, feliz, feliz, es todo cuanto pido en nuestra despedida, ojalá que te vaya bonito. Desprenderse de sí como paso previo a dar vida, desprenderse, quitarse la piel vieja, dejarla enganchada entre espinos o pedruscos o rastrojos, la inútil camisa de la serpiente. Pero no, damos vueltas y vueltas, cuántas vueltas damos a los asuntos, el aprendizaje masculino, lo emulamos porque nos han enseñado que es el aprendizaje, su intención de llevarnos a todos por el mismo raíl, de medirnos a todos por el mismo rasero, de igualarnos en la necesidad y en la tarjeta de crédito, sus valores —¿para qué vale?— y remedios —¿qué remedian?—, la cultura nos embauca, la cultura entendida como fenómeno masculino. Qué tedio tanta dicotomía, macho y hembra, los unos y los otros, yo y el mundo, hija y madre, como si no fuéramos parte de lo mismo. Decís que hacer hijos es lo más grande pero está claro que habláis por hablar, que mentís, porque de lo contrario no les mandaríais a la guerra, ¿en virtud de qué poder?, ¿es que hay algún poder que sea justificable? Ella hace simulacro de disgustarse cuando se le dice que no es la jefa, «yo sí soy la jefa», proclama entre pucheros y alguna que otra lágrima, «mamá, tonta, yo soy jefa, deja la máquina, no trabajes más, te digo que no trabajes más, vente conmigo», porque para ella escribir a máquina es trabajar, escribir es trabajo, y a lo mejor está en lo cierto: aún escribir es trabajo hasta el día en que deje de serlo para convertirse exclusivamente en impulso. Una de las experiencias más exultantes debe de ser la de conseguir alejarse del lenguaje de los hombres (o de las mujeres que

182

tan bien han aprendido su idioma, el de los hombres), a ver qué pasa entonces, a ver qué ocurre al existir sin escuchar sus admoniciones ni sus cantos de sireno, cuidadito con el hombre. Cantan los mirlos al atardecer y me acuerdo de mi madre, de cuántas veces sostuve batalla con ella. Dice que los mejores momentos de su vida fueron los de la infancia nuestra, a pesar de que tanto peso casi acaba con ella. Por lo menos no hemos sido sólo una carga. Ella se fue y qué ganas ya de ir a su encuentro, espíritu zumbador, algarabía, incordio, pequeña fiera, cuánto echamos de menos tu apresurada forma de apropiarse del espacio, «¿por qué corres tanto, hija?», «porque me gusta correr, madre», ¿se escapará algún día y me quedaré yo balbuciendo?

7 de marzo de 1995

Almudena Grandes

La buena hija

Almudena Grandes (Madrid, 1960) ganó el premio de narrativa erótica La Sonrisa Vertical con la novela *Las edades de Lulú* (1989). Posteriormente ha publicado *Te llamaré Viernes* (1991) y *Malena es un nombre de tango* (1994).

A Luis García Montero, que me ha
regalado mucho más que una rima

I

A las nueve en punto de la noche, cuando consideré que el agua había alcanzado ya el nivel preciso para desafiar a Arquímedes sin llegar a poner sus cálculos en entredicho, cerré el grifo y me dirigí al armarito que, en días horribles –como había sido aquél, sin ir más lejos–, se burlaba de mí por llevar todo el camino de convertirme en una vieja solterona clásica, más penosa aún, mucho más prescindible para el género humano, que esas funcionarias cuarentonas, separadas ya de antiguo, que salen por parejas los viernes por la noche para precipitarse sobre el primer conocido que encuentran y preguntarle si está bebiendo solo o ha traído a su mujer. Allí, sobre tres pequeñas baldas de plástico blanco, me esperaban diecinueve tarros de cristal transparente, todos de tamaños y formas diferentes, con distintos tapones y contenidos: discos de algodón blanco, bolas de algodón de colores, sales de baño de fresa, y de frambuesa, y de frutos del bosque, polvos de talco con aroma a zarzamora, diminutos jabones perfumados con aspecto de conchas marinas, y de frutas, y de flores, manzanitas de madera con olor a manzanas de verdad, limoncitos de madera con olor a limones de verdad, virutas de madera con olor a madera de verdad, corazones de parafina soluble rellenos de aceite estimulante de color rojo, medias lunas rellenas de aceite tranquilizante de color azul, estrellas rellenas de aceite tonificante de color amarillo, tréboles rellenos de aceite relajante de color verde, todo cien por cien natural, tan pequeño, tan limpio, tan mono, sobre todo tan mono, y las etiquetas lo advierten, no experimentamos en animales, yo tampoco experimento, no tengo marido, no tengo hijos, no tengo amigos, no tengo trabajo, no tengo nada que sea mío excepto este armario, y la manía de coleccionar gilipolleces olorosas en tarros de cristal para colocarlos en su interior una y otra vez, como si me fuera la vida en que ninguno de ellos se mueva un milímetro del lugar que yo misma les he asignado, o como si simplemente necesitara creer, de vez en cuando, que me va la vida en algo...

Entonces sonó el timbre. Escogí un trébol relajante, era inevitable, y lo dejé caer en la bañera. Antes de salir al pasillo me miré en el espejo, de pasada, y contemplé una sonrisa de la que no era consciente. Tengo madre, recordé, y seguí sonriendo, pero a conciencia.

Me la encontré en posición de alerta, el cuello tenso, la barbilla alta, la espalda erguida con desprecio de las almohadas, y la yema del pulgar acariciando nerviosamente el pulsador de la pera de baquelita blanca que sostenía en la mano derecha, pero ya ni siquiera podía recordar cuántos años habían pasado desde que alguno de estos gestos logró inquietarme por última vez, así que me dirigí a ella sin atravesar siquiera el umbral de la puerta.

–¿Qué quieres, mamá?

–Berta, hija... –en ese momento me miró e hizo una pausa dramática, como una escala intermedia en el viaje que estaba a punto de transportar a su voz desde una premeditada autocompasión hasta una no menos premeditada perplejidad–, ¿por qué llevas puesto el albornoz?

–Porque estaba a punto de meterme en la bañera, mamá.

−Lo siento, hija, no lo sabía.

−Sí lo sabías −pronuncié las palabras despacio, sin alterarme, con el acento que animaría los labios de una estatua. Tampoco podía acordarme ya de los años que habían pasado desde que renuncié, no ya a exhibir cualquier dosis de dureza, sino simplemente a expresarme ante ella, una inversión perpetuamente inútil−. Te lo he dicho hace un momento, cuando he subido a llevarme la bandeja de la cena.

Entonces, súbitamente, se desmayó sobre las almohadas, resbalando por la pendiente de su blandura hasta quedarse tumbada, y dar paso así a una secuencia de movimientos que yo había contemplado miles de veces. Primero cerró los ojos. Luego, apretó la mano izquierda contra su frente como si sospechara tener fiebre. Por último, suspiró.

−¡Ay!

No le pregunté de qué se quejaba, porque sabía de sobra que no le dolía nada. Quejarse era su manera de demostrarme que se daba cuenta de que la había pillado en falta y que le daba exactamente lo mismo.

−¿Qué es lo que quieres, mamá? −insistieron mis labios de mármol−. Se me va a enfriar el agua.

−Abre la ventana, por favor, ¿quieres, Berta? Tengo mucho calor, me estoy ahogando, no puedo respirar...

−¡Pero si estamos en marzo! Fuera hace frío, no puedo... −Sus chillidos me impidieron terminar la frase.

−¡Quiero que abras la ventana! ¿Me oyes? ¡Abre la ventana, abre la ventana, abre la ventana!

−Mamá, te vas a poner...

−¡Nada! −seguía chillando con la voluntariosa terquedad de una niña pequeña, malcriada−. ¡Nada! No me puedo poner peor, porque me estoy ahogando. Me muero, me muero, ¡me muero! ¿Es que no lo entiendes?

−Mamá...

Renuncié a terminar la frase y me resigné a dar la noche por perdida, como había perdido aquel día, tantos días, años enteros a su lado. Abrí la ventana y salí de la habitación sin decir nada.

A las nueve y once minutos, me metí por fin en una bañera llena de agua muy caliente, pero incapaz ya de humear. A las nueve y dieciocho sonó el timbre. A las nueve y veintiuno sonó el timbre. A las nueve y veintitrés sonó el timbre. Salí del agua, me puse el albornoz, mi madre tenía frío, cerré la ventana y bajé las escaleras corriendo, como si el baño interrumpido se hubiera convertido en una prioridad esencial. Debía de serlo, porque no se me consintió permanecer en él más de diez minutos. Mientras el timbre volvía a sonar, tiré del tapón y abrí otra vez el grifo del agua caliente para restablecer la temperatura. Los timbrazos se habían convertido en un concierto de ruido histérico cuando coloqué de nuevo el tapón en su sitio y, dejando el grifo abierto, acudí a descubrir que mi madre se ahogaba, se moría, no podía respirar. Abrí la ventana y, en contra de mis propias previsiones, descubrí que aquella noche —será la regla, pensé— me costaba trabajo conservar la calma. A mi vuelta, encontré indicios de humo, pero no me felicité por ello, ni siquiera me acordé de Arquímedes. Llorando de rabia, me quité el albornoz, lo tiré contra el armario, y me desplomé en el agua con un solo gesto, cayendo sobre ella como si fuera sólida, como si acabaran de fusilarme al borde de la bañera.

Las matemáticas no son una opinión. Con esa frase, solía contrarrestar las argumentaciones de esos alumnos desaforadamente imaginativos, los más brillantes, que se empeñaban en disentir de axiomas y teoremas partiendo de su propio método. Pero las matemáticas no son opinión, y todo cuerpo sumergido en un líquido pierde una parte de su peso, o sufre un empuje de abajo arriba, igual al volumen del líquido que desaloja, así que el suelo del cuarto de baño se inundó con el exacto volumen del agua que mi cuerpo había desalojado al sumergirse. Me quedé mirándolo sin hacer nada, sumida en la desolación más absoluta, hasta que una nueva tanda de timbrazos puso el punto final a aquella dilatada secuencia de desastres. Ahora, con la ventana cerrada, mi madre se dormiría, y yo podría disponer de mí misma durante un par de horas, las justas para ver una película en la televisión después de haber exterminado el charco que brillaba sobre las baldosas.

Entonces, gracias a Arquímedes y a la formulación más aproximativa y grosera de su principio, esa gota que desborda el vaso del dicho popular, recordé un detalle que había permanecido enterrado en el último rincón del olvido más profundo durante todos los largos y estériles años de mi vida de mujer adulta, y me estremecí de nostalgia, y de desconcierto.

–¿Qué hago yo aquí –me pregunté a mí misma en voz baja mientras, absorta en mi memoria y completamente sorda al estruendo que me reclamaba, ganaba muy despacio cada escalón–, qué hago yo aquí, si yo, hace treinta años, decidí cambiar de madre?

Piedad era de estatura mediana, más baja que alta, y robusta sin llegar a ser gorda, un cuerpo redondo de carne dura, tan dura que mis dedos jamás acertaron a darle un buen pellizco de esos retorcidos, pellizquitos malagueños los llamábamos entonces. Ella sí me pellizcaba, jugando, para hacerme rabiar, pero luego me besaba, me daba cientos, miles de besos, en el pelo, en la frente, en las mejillas, besos rotundos, su boca clavándose en mi cara hasta hacerme casi daño, y besos sonoros, los labios fruncidos para emitir un pitido agudo y crujiente, besos sueltos o series de seis, siete besos breves y ligeros, cálidos y dulces, nadie, nunca, me ha besado tanto como Piedad.

Sé que cuando yo nací todavía no había empezado a trabajar para mis padres, y sin embargo, apenas conservo recuerdos de mi infancia que no le pertenezcan también a ella. Piedad me despertaba por las mañanas, Piedad me vestía y me peinaba, me daba de desayunar y me hacía el bocadillo para el recreo antes de llevarme al colegio. A la salida, por la tarde, me estaba esperando con la merienda al lado de la verja, y si tenía tiempo, me llevaba al parque, y luego me quitaba el uniforme, y me ponía un babi, y me daba lápices y un cuaderno para que dibujara en la mesa de la cocina mientras ella terminaba de planchar, repartiendo su atención entre el trabajo y los consultorios sentimentales de la radio, el transistor siempre encendido, siempre a mano. Piedad me bañaba y cenaba conmigo, me obligaba a lavarme los dientes y me arrastraba hasta la cama, y se sentaba en el borde a contarme unos cuentos muy raros de pastores y de ovejas, en los que no había princesas, ni siquiera niños y niñas, sólo mozos y mozas que comían pan con tocino, y las brujas no tenían poderes pero eran unas mujeres muy malísimas y muy avaras, que en vez de echar maldiciones subían las rentas todo el tiempo, y no había hadas, y por eso los buenos perdían casi siempre, pero a pesar de todo, a mí me encantaban los cuentos que se sabía Piedad, quizás porque nadie, nunca, me contó otros.

En aquella época, mis amigas y yo dedicábamos el recreo de todas las mañanas a perseguirnos por el patio para cogernos las unas a las otras. No recuerdo el nombre de aquel juego, pero sí una de sus reglas principales, que establecía ciertos lugares seguros para cada jugadora, refugios imaginarios que bastaba alcanzar para ponerse a salvo. Al llegar a cualquiera de esos puntos —un alcorque, un poste, un tramo de la pared o un barrote de la verja—, siempre gritábamos ¡casa!, no tanto para avisar a la perseguidora de turno como para desalentarla, y entonces, al gritar ¡casa!, yo siempre pensaba en Piedad, porque eso, exactamente, era Piedad para mí, un lugar en el que ningún enemigo me capturaría jamás, un castillo blando y caliente como una cama recién hecha, unos labios que siempre me besarían, unos brazos que nunca dejarían de abrazarme, una máquina de querer que funcionaba a tope, siempre igual, cuando me portaba bien y cuando me portaba mal. Piedad era ¡casa!, era mi casa, y era el mundo.

Aparte, al otro lado del pasillo, vivía mi familia.

El último regalo de la Naturaleza que mi madre estaba dispuesta a recibir con alegría a los cuarenta y un años bien cumplidos, era un embarazo, y sin embargo, con esa edad me concibió a mí, la cuarta de sus hijos, justo cuando el primero, mi hermano Alfonso –que en mi memoria nunca ha dejado de ser un señor con traje azul y corbata que venía a comer en casa un domingo sí y otro no– terminaba la carrera de Derecho con la intención de casarse inmediatamente después. De mis hermanas conservo más recuerdos, más precisos, aunque nunca llegamos a jugar juntas, ni siquiera a coincidir en el colegio. Cristina es catorce años mayor que yo, Cecilia dieciséis. Las dos se casaron a la vez, con apenas unos meses de diferencia, cuando yo estaba a punto de cumplir diez, y las dos se empeñaron en que llevara sus arras hasta el altar en una bandeja de plata. Lo hice muy bien las dos veces, sin tropezar y sin dejar caer ni una sola moneda, pero me aburrí mucho en los ensayos.

Bodas, bautizos, comuniones, cumpleaños, entierros, funerales, y fiestas en general, eran para mí días doblemente excepcionales, porque descosían la rutina de mi vida por dos costuras distintas. Por un lado, me ponía un vestido nuevo, me dejaba peinar con raya al lado y más esmero de lo habitual, asistía con gestos devotos a la ceremonia, cualquiera que fuese, y comía después en un restaurante. Por otro lado, imitando cuidadosamente a mi padre, a mi madre, a mis hermanos, me comportaba como si fuera un miembro más de la familia, ese conjunto de extraños amables y bienintencionados en general, con el que me tropezaba a lo sumo un par de veces –un beso a la vuelta del colegio, otros por la noche, antes de irme a la cama– todos los demás días, mientras vivía con Piedad en sus dominios de la cocina, sin echar nada de menos.

En ese pequeño país –un vestíbulo de servicio, una cocina, un *office,* una despensa, un dormitorio y un aseo diminuto, con una bañera cuyo tamaño alcanzaba a duras penas la cuarta parte de la superficie de las restantes bañeras de la casa– transcurrió una infancia tan feliz como pueda llegar a serlo cualquier otra, los años más plácidos y emocionantes de mi vida. Piedad me quería, me cuidaba, se ocupaba de mí, y siempre –tal vez porque era muy joven, sólo un año mayor que mi hermana Cecilia– se las arreglaba para divertirse mientras lo hacía, por eso yo me divertía tanto con ella. También sabía ser severa, hasta estricta si lo consideraba necesario, pero ningún reproche, ni siquiera la más ácida de las regañinas, logró hacer nunca mella en la infinita confianza que me inspiraba, esa seguridad que me impulsaba a gritar su nombre, y no el de mi madre, cuando tenía pesadillas por la noche, hasta que los adultos decidieron que la mejor solución para el sueño de todos consistía en que me trasladara inmediatamente al dormitorio de Piedad, la única habitante de la casa que creía en mi miedo, y en mi angustia, la única dispuesta a levantarse de madrugada y ocupar un hueco en mi cama para combatir con palabras y caricias a los monstruos que me torturaban y que nunca más volverían a visitarme.

No dejaba de ser consciente de mi extraña posición en aquella casa, pero antes de alcanzar la edad suficiente para sentirme rebajada por frecuentar casi exclusivamente la puerta de servicio, ya había elaborado una fórmula satisfactoria, capaz de resumir el mundo sin obligarme a renunciar a nada. Todos los niños que yo conocía –mis primos, mis amigos del parque, las compañeras del colegio– tenían una sola madre, que sin dejar de ser ella misma, y según las funciones que desempeñara en cada momento, podía desdoblarse en dos seres distintos, con nombres distintos, *mi madre* y *mamá*. *Mi madre* era la autoridad, la señora que tomaba las decisiones importantes. Ella pagaba la matrícula en septiembre y firmaba las notas en junio, compraba el uniforme y los libros de texto, llevaba a sus hijos de visita los domingos, y se encargaba de que las camas estuvieran hechas y la comida caliente todos los días. Después, cuando un niño tenía fiebre, cuando se caía del columpio y se hacía sangre en una rodilla, cuando lloraba porque los amigos habían dejado de ajuntarle, cuando le asaltaba la célebre hambre selectiva de chocolate al pasar junto al escaparate de una pastelería, cuando se rompía su juguete favorito, o cuando, simplemente, le apetecía declarar una guerra de cosquillas, *mi madre* se disolvía en un instante, sin quejarse, sin llamar la atención, sin hacer ruido, para ceder su cuerpo y su rostro, sus manos y su voz, a *mamá*, una especie de hada doméstica con poderes suficientes para resolver la mitad de los problemas y hacer mucho más soportable la otra mitad. En la vida de todos los niños que yo conocía, una sola mujer bastaba para representar ambos papeles, pero en la mía había dos. Doña Carmen era *mi madre*. Piedad era *mamá*.

El detalle de que mamá cobrara un sueldo de mi madre los últimos días de cada mes no tenía ninguna importancia, porque la presencia de Piedad no se limitaba a los días laborables. Mis tías, algunas amigas de la familia, y sobre todo mi abuela paterna, expresaron un profundo escándalo –que, en el caso de esta última, rayaba abiertamente en el desprecio hacia su hijo– el primer año que Piedad, después de pasar con nosotros en la playa el mes de julio, fue autorizada a llevarme consigo de vacaciones a su pueblo, una pequeña aldea de Segovia donde, por lo visto, me divertí muchísimo arreando ovejas cuando todavía no había cumplido los cinco años.

–¿Lo ves? –le dijo mi madre a su suegra cuando regresé a Madrid, más gorda, muy morena, y con un aspecto

195

sanísimo–. ¡Si a los críos les sienta estupendamente el campo! Y a ver cómo me las habría arreglado yo en Javea con Berta y sin servicio, si las niñas no perdonan una noche sin salir, y tu hijo anda todo el santo día liado con el velero... Todas las vacaciones metida en casa, ¡ya me contarás, menudo plan!

Mientras Piedad fue una chica decente, con novio en el pueblo, sus jueves y sus domingos me incluían a mí tanto como ella estaba incluida en mis lunes y mis martes. Si había quedado con sus amigas en una cafetería, me invitaba a tortitas para que me portara bien, si iba de visita a casa de su hermana, que vivía en Vicálvaro, me dejaba jugando en el patio con sus sobrinos, si decidía ir de compras, me encargaba que vigilara la cortina del probador para que no la viera nadie, y después me dejaba entrar para que opinara qué vestido la sentaba mejor. Roque estaba siempre trabajando y nunca podía venir a verla –*que es lo que tiene, el ganado, que es muy esclavo*, le disculpaba su novia–, pero de vez en cuando, mi madre entraba en la cocina con gesto distraído, a media tarde, y le comunicaba que podía disponer del siguiente fin de semana.

–El señor tiene que marcharse el jueves, por negocios, y estará fuera cuatro o cinco días como mínimo, y las niñas me acaban de decir que se van el viernes por la tarde a casa de su abuela, a Torrelodones, así que, total, para lo que vamos a ensuciar Berta y yo, si te quieres ir el sábado a ver a tu familia...

En ese momento, siempre dudaba entre añadirme, por derecho propio, al grupo de «las niñas» y anunciar que, por mucho que protestaran mis hermanas, yo también me iba a Torrelodones, o esperar al sábado por la mañana para marcharme con Piedad a su pueblo, y siempre escogía el segundo plan, porque mi abuela materna, propietaria de la hermosa casa de campo en la que nadie podía imaginar aún que transcurrirían tantos años de mi vida, era buena y cariñosa, pero sólo le gustaba jugar al Scrabble inventándose palabras todo el rato, y perder con ella era muy aburrido. Además, Piedad se ponía muy contenta cuando, a mediodía, recién peinada y agitando las manos en el aire para que se le secaran pronto las uñas pintadas de rojo oscuro, mi madre, con la cara embadurnada de barro −su mascarilla favorita−, entraba en la cocina, se me quedaba mirando y me decía, con la mueca propia de quien transige en un detalle sumamente doloroso:

−¿Quieres irte tú también, Berta? Si a Piedad no le importa...

A Piedad solamente le importó una vez, porque sospechaba que yo estaba incubando algún virus infantil, y aunque se ofreció a quedarse conmigo, no obtuvo permiso para hacerlo. A la hora de comer, la piel de mi pecho comenzó a explotar despacio, discretamente, apenas seis o siete pequeñas ampollas translúcidas, pero cuando mi madre se acercó a mi cuarto a media tarde para despertarme de la siesta, la erupción ya se había desbordado, invadiendo mi cara, mis brazos, mi estómago, una varicela de las que hacen época.

−No te rasques −me advirtió, después de instalar un televisor pequeño sobre la cómoda y abandonarme en dirección al salón, donde la esperaban ciertos misteriosos invitados−, y menos en la cara. Aguanta el picor o te quedarán señales para toda la vida. Y no te muevas de la cama, eso sobre todo. Ya vendré yo a verte de vez en cuando...

Pero la varicela tiene una ventaja, no se pasa más que una vez en la vida, y hubo otros fines de semana para salir al campo a coger moras, tardes de río y mallas repletas de cangrejos vivos, noches en las que hacer burla de la nieve al amparo de un fuego de leña, muchas procesiones y muchas romerías, muchas mañanas de sol para subir al monte con la comida de Roque, y comer con él encima de una peña. Mientras tanto, mi amor por Piedad perdía poco a poco el carácter de una vocación para convertirse en un ingrediente esencial, natural, absolutamente indisociable de mi propia vida.

–¡Berta! –la misma mañana de su boda, Cristina irrumpió en el salón sin avisar, con la maquinilla que usaba para afeitarse las piernas en una mano y cada uno de los nervios de su cuerpo concentrado alrededor de su boca, que se desencajaba en cada chillido–. ¿Dónde has metido el taburete del baño?

Todos –mis padres, mis hermanos, mis abuelos, los amigos íntimos que se habían reunido en mi casa para acompañarnos a la iglesia–, me miraron a la vez, suplicando con los ojos una respuesta rápida y eficaz, porque la histeria de la novia rebasaba ya, con creces, la paciencia de un santo.

–Ten por cierto, Cristina –contesté, nerviosa, sin escoger mucho las palabras–, que yo no he ocultado el escabel.

–¡Qué barbaridad! –dijo el mejor amigo de mi padre, al que llamábamos tío Armando aunque no formara parte de la familia–. ¡Pero qué bien habla esta niña!

–Sí –contestó mamá, sin darse importancia–, es que es muy estudiosa...

Eso era verdad, pero yo no había aprendido en ningún libro a hablar el castellano característico de la zona rural frontera entre las provincias de Burgos y Segovia ni, desde luego, era capaz de utilizarlo a mi antojo. Aquella era, simplemente, mi lengua materna, la lengua de Piedad, que distinguía perfectamente entre la pronunciación de poyo y la de pollo, y bromeaba afirmando que en mi casa, todos los jueves, se comía banco de piedra estofado.

Nadie advirtió la verdad, quizás porque en la época en la que se casaron mis hermanas, hacía ya más de dos años que sólo íbamos al pueblo en verano, dos años desde que Piedad y yo no nos sentábamos juntas, ni siquiera en la misma fila, cuando íbamos al cine.

II

Al verla salir del baño, frotándose las manos con una insistencia que aplicaba un barniz de desesperación sobre un gesto tan trivial, no reparé apenas en la desaforada dosis de crema Atrix que embadurnaba sus dedos, sus palmas, sus muñecas, aunque hacía ya varias tardes que asistía, perpleja, a la repetición constante de aquella escena, Piedad combatiendo la aspereza escarlata de su piel —no podía fregar con guantes porque los platos y los vasos se le escurrían para estrellarse contra la pila sin que sus yemas llegaran a echarlos de menos— con un tarro de tamaño familiar que, de seguir así las cosas, no le iba a durar ni dos semanas. El espectáculo de su rostro, mucho más extraordinario, atrajo instantáneamente mi atención, en cambio.

—No me pongas esa cara —murmuró ella cuando se dio cuenta, sin dejar de frotarse nunca las manos—. No me apaño muy bien, ya lo sé, como no tengo costumbre...

—Pero ¿qué dices, Piedad? —protesté—, ¡si estás guapísima! Nunca has estado tan guapa como ahora.

Y era sincera. Hasta entonces, siempre había pensado que Piedad no se pintaba porque no lo necesitaba. Que mis hermanas, pese a ser más jóvenes que ella, nunca salieran de casa con menos de tres tonos distintos en cada párpado, no tenía mucho misterio, porque todas nosotras, incluyendo a mi madre —cuyo principal objetivo en esta vida consistía en aparentar diez años menos de la edad que tuviera en cada momento—, siempre hemos sido más feas que Piedad. La elegancia, el estilo, la clase, la calidad de la ropa, el corte de pelo mejor elegido, la destreza para andar con gracia sobre unos tacones, tenían poco que hacer frente a la intensa dulzura de aquellos ojos verdes de un brillo casi líquido, salpicados de motitas doradas que retenían la luz para despedirla después a su antojo, resplandeciendo en un óvalo de proporciones perfectas, la nariz recta y pequeña, los labios carnosos, de contornos tan limpiamente definidos que parecían obra de un lápiz, y esa barbilla impecable, una curva aguda, pero no afilada, donde se lee la marca de la belleza genuina. Piedad no necesitaba pintarse, pero estaba más guapa pintada, sobre todo aquella tarde de estreno, mientras una luz incierta, que yo no podía interpretar, sembraba de sombras el reluciente espejo de su rostro.

Nunca, tampoco, la había visto tan nerviosa, de eso estaba segura.

–Y tienes que prometerme que te vas a portar bien –me dijo en el ascensor–, que no protestarás aunque te aburra la película, que no pedirás más que una cosa, patatas o palomitas, ve pensándotelo... He quedado con un amigo mío, ¿sabes? Vendrá con nosotras al cine. Quiero que seas muy simpática con él, Berta, pero sin llegar a aturdirle, ya sabes. Me cae muy bien, y... en fin, me encantaría que no metiéramos la pata.

Cualquier otro día, habría reparado en la generosidad de Piedad, que solía hablar en primera persona del plural para prevenirme de un riesgo inminente, pero le vi a través de la cristalera del portal cuando aún no había tenido tiempo de prometer nada, y le reconocí a pesar del abrigo gris, largo hasta los pies, que acortaba su estatura a cambio de hacerle parecer más fuerte, porque ni queriendo habría podido olvidar su pelo, abundante y tieso, cortado a cepillo, o la perenne expresión de tristeza que habitaba en su boca.

Ella me lo presentó como si nunca nos hubiéramos visto, y entonces me di cuenta de que antes, cuando nos tropezábamos con él en el pueblo, jamás le saludaba aunque por fuerza se tenían que conocer. Eugenio no vivía en Montejo, pero aparecía por allí en Semana Santa, y solía volver para las fiestas de agosto, conduciendo un coche blanco lleno de niños con los que Piedad no me dejaba jugar, pese a que vivían justo en la casa de enfrente. Ahora, sin embargo, le cogió del brazo para cruzar la calle, y cuando la acera empezó a ser demasiado estrecha para los tres, prefirió soltarme de la mano a desprenderse de la manga de lana gris. En el vestíbulo del cine, los dos se ofrecieron a la vez a comprarme una cosa, patatas él, palomitas ella, pero antes de entrar en la sala sujetando una bolsa de plástico con cada mano, ya sospechaba que tanta generosidad aparejaría ciertas contrapartidas, y no me equivoqué. Piedad escogió una de las últimas filas del cine y avanzó entre las butacas con decisión. Yo la seguí, rezongando, sin darme cuenta de que Eugenio no venía detrás de mí, pero cuando aún no había terminado de protestar por estar sentada tan lejos de la pantalla, una mano brusca, muy grande y muy morena, rematada por cinco sombras oscuras –huellas indelebles de la mugre que, de lunes a viernes, solía estar alojada bajo el borde de las uñas– avanzó sin previo aviso desde la fila de atrás, colándose entre mi cabeza y la de Piedad para posarse después en su cuello y quedarse allí, sin moverse, sin esbozar siquiera una caricia, mientras las luces se apaga-ban para dar paso al Nodo. Luego, tras el breve paréntesis de normalidad del descanso, una extraña charla triangu-lar, Piedad se levantó –ahora vuelvo, me dijo–, y se pasó a la fila de atrás, de donde no volvió hasta que las luces se encendieron de nuevo.

No me acuerdo de la película que vimos aquella tarde, pero estoy segura de que logró atraparme, zambullirme de cabeza en su historia, porque no me volví ni una sola vez. Con otras películas todo sería distinto, pero al cabo de unos meses, Piedad renunció incluso a la oscura com-plicidad de las salas de reestreno para abrazar y besar a Eugenio delante de mí y al aire libre, en los merenderos de la Dehesa de la Villa, en las verbenas de los barrios periféricos, en las supuestamente lujosas cafeterías de la calle Preciados, o hasta en la esquina de mi casa, Conde de Xiquena con Bárbara de Braganza, tan lejos del co-chambroso cine Chueca –que, a despecho de su nombre, se alzaba justo en la esquina donde la plaza de Chamberí desemboca en el paseo del Cisne–, que les cobijó por primera vez. Yo encajé tales prodigios con el ánimo más favorable que una pareja puede esperar de un hijo adoptivo, pero en mi actitud pesaba mucho más el cálculo interesado que cualquier hipotética capacidad para comprender fenómenos que estaban muy por encima de mi más precoz inteligencia, si es que mi inteligencia fue precoz alguna vez.

La próxima, aunque nunca del todo inminente, boda de Piedad, que bordaba sábanas y manteles en sus ratos libres y siempre, cuando se encontraba con Roque, cotejaba los números de su cartilla con los de la cartilla de su novio, dejó de proyectar sobre mi futuro las afiladas sombras de una espada impaciente. Piedad ya no pensaba en casarse. Eso se lo debía a Eugenio, y también las explosiones de euforia de los primeros meses, esa especie de locura, como un brote de felicidad desatada, un calor parecido a la fiebre, a la dorada ebriedad de la que hablan los textos antiguos, el temblor que yo jamás he padecido sino en ella, a través de ella, porque Piedad brillaba, iluminaba el mundo, lo transportaba entero sobre la nube que defendía sus pies del polvo, y reía, se reía sin tener motivos, y se echaba a llorar sin dejar de reír, y cuando la miraba, me parecía una niña pequeña, más pequeña que yo, menos consciente, y al mismo tiempo una mujer enorme y lejana, solemne como una estatua, distinta como una diosa, y única, porque era todas las mujeres a la vez, todas las mujeres vivían en ella, y este planeta había nacido, se había formado, y había crecido para Piedad, para que Piedad sintiera, para que Piedad amara. Yo, que nunca he formado parte de los escogidos, viví también aquel amor como una pasión propia, lo seguí de cerca, con ojos atentos, avariciosos, sin palabras aún para explicármelo pero con abrazos para compartir, y me aprendí las letras de decenas de boleros, afirmaciones de amor total, quejas de amor venenoso, llantos de amor traicionado, y sentencias todavía más tremendas, más absolutas, más hermosas aún, pero más brutales, yo no sé si tendrá amor la eternidad, cantábamos, pero allá tal como aquí, en la boca llevarás sabor a mí...

Después, Piedad perdió las ganas de cantar para murmurar entre dientes aquella frase terrible, este hombre va a ser mi ruina, y nunca lo decía una sola vez, sino que lo repetía deprisa, para sí misma, como rezando, este hombre va a ser mi ruina, este hombre va a ser mi ruina, y a mí me daba miedo oírla hablar así, y me daba miedo ver lo deprisa que cambiaba, porque seguía siendo una mujer diferente, distinta a la que fue antes y a todas las demás mujeres que yo conocía, y seguía estando muy guapa, pero sus mejillas se teñían de otro color, un rojo más oscuro, más cerca del morado, y ya no alternaba la risa con el llanto, pero pasaba mucho tiempo sentada en una silla sin mover un músculo, los ojos fijos en la pared, los labios soldados, completamente sola aun estando conmigo, y a ratos se volvía loca otra vez de la buena locura, la locura de antes, pero luego empezó a contagiarse de una locura nueva, turbia, peligrosa, locura de la ira y del despecho, como un presentimiento de desesperación, y se pasaba las mañanas de domingo tumbada en la cama, mi madre se quejaba, ya no trabajaba tan bien como antes, y yo no podía encubrirla porque no la entendía, no comprendía por qué estaba cambiando tan deprisa, hasta que llegó un momento en que se quedó como estaba, terca, triste, y ya no pasó nada, sólo el tiempo, y cumplí diez años, y luego once, y Piedad empezó a dejarme en casa cuando quedaba con Eugenio aunque le veía menos que antes, y nuestra vida recuperó una cierta rutina antigua hasta que se decidió a romper con él, y entonces descubrí que todo podía ser muchísimo peor.

–Esto es lo que tendría que haber hecho hace años –me dijo al volver a casa, mientras la ayudaba a preparar la cena–, en lugar de perder tanto el tiempo, porque no se puede vivir así, como yo he vivido. Tú lo entiendes, ¿no, Berta? –En ese momento levanté los ojos para mirarla, y la encontré muy tranquila, tan serena como su voz, sonreía.

–Claro que sí, Piedad –contesté, aunque me imaginaba que había hecho aquella pregunta por hablar, y no porque le interesara de verdad conocer mi opinión–. Y has hecho muy bien.

–Sí, yo también lo creo –asintió–. No había otro camino, no había... otra... otro...

Entonces se detuvo, pero yo estaba segura de que aquella pausa no tenía otro objeto que dejar pasar el tiempo mientras escogía bien las palabras, y no levanté los ojos de la lechuga que estaba picando hasta que noté que se había desplomado hacia delante. Cuando la miré, estaba doblada sobre sí misma, la cabeza apuntando al suelo, el pelo balanceándose en el aire, lacio, como muerto, y los brazos cruzados alrededor de la cintura, abrazando la repentina deformidad de su cuerpo. Me abalancé sobre ella y no conseguí enderezarla, pero sujeté su barbilla entre las manos para obligarla a levantar la cara, y era tal la expresión de dolor que vi en su rostro –la frente arrugada, los párpados apretados, la boca fruncida, como si la mano de un dios, o de un demonio, le hubiera estrujado la piel hasta concentrar todos sus rasgos en el centro–, y tan sordas las quejas que al nacer parecían desollarle la garganta, que me convencí enseguida de que Piedad había sufrido un ataque, un infarto, un cólico, algo parecido, pero cuando salí corriendo de la cocina con la intención de avisar a mi madre para que llamara al médico, ella salió corriendo detrás de mí.

–Déjalo, Berta –me dijo, agarrándome por los hombros–. No te asustes, no es nada...

Y, sin embargo, fue todo. El dolor, la desesperación, una falsa indolencia, la muerte en vida, sucesivas etapas de una enfermedad crónica, un virus sin remedio, una infección mortal e intermitente. La primera fase pasaba deprisa, pero el corazón seguía retorciéndose cuando dejaba de retorcerse el cuerpo, y luego era peor, porque vómitos y jaquecas, insomnio y falta de apetito resultaban mucho más tolerables que la apatía y el silencio, o la lentitud con la que Piedad arrastraba las zapatillas por el pasillo, como si solamente mover los pies le exigiera un esfuerzo atroz, insoportable. Yo la miraba y sufría con ella, porque hacía ya muchos años que había desdeñado la última oportunidad para elegir, y mi destino estaba ligado a la supervivencia de aquel fantasma por lazos mucho más intensos que los de la sangre, si es que esos lazos existen. Yo había querido amar a Piedad, la había elegido, la había adoptado, había invertido en ella toda mi fe, todas mis risas, todos mis besos, ya no podía encontrar un camino de vuelta y además, me negaba a encontrarlo. A cambio, me propuse quererla más que nunca, e intenté distraerla, sacarla de casa, bombardearla con chismes, con chistes, con historias verdaderas o inventadas, y no conseguí nada, no fui capaz de moverla ni un milímetro del centro del pantano en el que se iba hundiendo lentamente, pero cuando más perdida parecía, un domingo por la tarde me vio fregando los platos y esa imagen por fin la hizo reaccionar.

–¡Deja esa copa inmediatamente, Berta! –gritó casi, levantándose de la silla desde la que fingía mirar la televisión.

–Si no me importa fregar... –protesté, sin mucha convicción.

–Pero a mí sí me importa que friegues –contestó–, porque tú eres una niña, y los niños no trabajan. Además, éste es mi trabajo, no el tuyo. Hasta aquí podíamos llegar. –Se lanzó sobre la vajilla con una energía que no desplegaba desde hacía meses, y siguió murmurando entre dientes–. Esto no puede ser, Dios mío, no puede ser. Todo esto es una locura...

Desde aquella tarde, Piedad se esforzó en bordar sus tareas, recobrando el nivel de eficiencia del que tanto se maravillaban las amigas de mi madre antes de que empezara a salir con Eugenio, pero la precisión mecánica de todos sus gestos, la dureza de su rostro, el silencio de sus labios, revelaban, tras una aparente recuperación, el nacimiento de otra Piedad, una muñeca articulada, indiferente, fría, que me gustaba todavía menos que la mujer desesperada, pero por tanto viva, que había sido antes. Por eso me alegré tanto aquella tarde de primavera, cuando me encontré con Eugenio en la puerta del colegio. Ya había cumplido doce años y solía volver a casa sola, pero Piedad todavía venía a recogerme algunas veces cuando tenía que hacer recados por el barrio, y la busqué con los ojos hasta que me di cuenta de que su novio iba vestido con un mono azul, y recordé que nunca le había visto así a su lado.

–Hola –le di un beso en la mejilla–. ¿Qué haces aquí?

–He venido a verte –me contestó en voz baja, titubeando como si se arrepintiera de cada palabra que pronunciaba–. ¿Piedad...?

–No, ella ya no viene a buscarme. Ya soy mayor.

–Claro...

Nos quedamos parados en medio de la acera, sin decir nada, yo le miraba con curiosidad, él se miraba la punta de los zapatos mientras le daba vueltas y vueltas a un papelito que sostenía con las dos manos, a la altura del pecho. Así dejamos pasar cuatro o cinco minutos, tal vez más, y nunca he vuelto a ver un rostro tan sombrío.

–Bueno, Eugenio –rompí el silencio con el acento más corriente que pude improvisar, porque no podía estar toda la vida esperándole–, pues me tengo que ir a casa.

–No, espera...

Todavía hizo una pausa, como si necesitara respirar antes de decidirse.

–Toma –me tendió aquel papel con las dos manos en un gesto brusco y solemne a la vez, que me recordó el que hacen los sacerdotes en misa cuando elevan la hostia consagrada–. Es para Piedad. Lo he copiado de un almanaque.

Era una hoja arrancada de un bloc de papel cuadriculado, corriente, de esos que tienen el espiral arriba, escrita por una sola cara con un bolígrafo azul y la caligrafía redonda, trabajosa, de un mecánico de coches apenas acostumbrado a apuntar alguna cifra, y sin embargo, la expresión de sus ojos líquidos, el temblor de sus manos aún extendidas y, sobre todo, el color de sus mejillas, un sonrojo impensable en un hombre tan mayor, me convencieron de que aquella nota era muy importante para él. Cuando me la metí en el bolsillo doblada en cuatro, tal y como la había recibido, me pregunté si Eugenio sabría que Piedad nunca había aprendido a leer, pero después de despedirme de él, comprendí que ni siquiera ese detalle tenía importancia.

–Adiós, Berta –murmuró, y cuando ya me había alejado unos pasos, sin moverse del sitio, añadió aquello–. Y dile que me estoy muriendo.

Empecé a leer en alto sin entender muy bien por qué me estaba poniendo tan nerviosa, *Cuando pienso en tu vida y la mía,* pero aquel papel arrugado y sucio, estampado de manchas de grasa negruzca, me bailaba entre los dedos, y mi voz sonaba como si estuviera a punto de rendirse en cada sílaba, *y las sombras me rozan la piel,* mientras Piedad, apoyada en el borde del fregadero, me miraba de frente, sin fingir ya indignación, como al principio, *una voz me murmura al oído:,* pero tranquila, segura todavía de sí misma, de su desprecio, *déjala: no la puedes querer,* aquél era el primer golpe, y ella lo acusó cerrando al mismo tiempo los ojos y los puños mientras yo seguía leyendo, sin marcar pausa alguna entre las estrofas, *Yo le doy la razón, pero luego,* los puños cerrados se estrellaron contra las puertas del mueble donde guardábamos el cubo de la basura, golpes apenas testimoniales, flojos al principio, *no consigo ocultar la verdad,* que fueron ganando en intensidad hasta adquirir el eco de la violencia auténtica, *y otra voz, más profunda, me dice:*, en aquel instante me arrepentí de haber cedido ante Eugenio, porque Piedad se estaba destrozando los nudillos, *nunca vas a poderla olvidar,* y yo no podía ver otra cosa que odio en sus ojos cerrados, odio en sus labios fruncidos, odio en su rostro, en sus gestos, ella entera una imagen del odio, aunque algunas lágrimas sueltas se desprendían ya de sus pestañas, como por azar, *No conozco la sierra sin nieve,* entonces empezó a susurrar, hijo de puta, hijo de puta, hijo de puta, *no comprendo el invierno en abril,* pero el sonido de sus insultos no me engañaba, porque Piedad lloraba por fin de verdad, lloraba como si quisiera secarse para siempre, vaciarse de todo, nacer de nuevo, *sin poesía no sufro la noche,* y la emoción liberó a sus manos de la misión de la violencia, e hizo resplandecer su rostro como si una luz misteriosa hubiera trepado en secreto por su garganta, y el vello de sus brazos se erizó, y se le erizó el alma, y cuando levanté la vista por última vez, sentí que mi estómago se ahuecaba de repente, y presintiendo el sabor de mis propias lágrimas, saladas y mansas, leí en un sollozo el último verso, *no me explico la vida sin ti.*

Después, agotado mi llanto y el suyo, con los ojos muy abiertos y los dedos apretados contra las mejillas, intentando aplacar su calor, Piedad me preguntó por el único detalle que no había previsto.

–¿Lo ha escrito él?

Yo bajé la cabeza, como si necesitara estudiar bien la cuartilla antes de responder, y fijé la mirada en la última línea, aquel nombre tan largo que parecía otro verso.

–Pues claro –contesté, sin mentir todavía–. ¿Quién lo iba a escribir?

–Me refiero a si ha compuesto él los versos, o son de otro.

Volví a hundir los ojos en aquella letra torpe, de trazos infantiles, cuatro cuadraditos para cada redondel, cuatro para cada palote, y aquel apellido perfectamente escrito, Bécquer, con una *c* delante de la *q,* y hasta el acento, un trazo rígido, diminuto, sobre la primera *e*, y sentí por Eugenio la misma imprecisa ternura que habría sentido por un bebé, por un cachorro, por un ser indefenso y condenado, por cualquier criatura sin suerte.

–Me ha pedido que te diga que se está muriendo. –Entonces la miré–. Y creo que es verdad.

–¿Y yo? –me preguntó–. ¿No me estoy yo muriendo? Y la culpa es suya, suya, que se casó con otra...

La última palabra se le quebró en los labios como si la hubiera partido con los dedos, y entonces comprendí que estaba a punto de volver a llorar, y me dije que Piedad no sabía leer, que nunca distinguiría aquel nombre tan largo del resto de las líneas, y lo que dijera el poema le daba lo mismo, sólo había un par de versos importantes para ella y ésos ya se los sabía de memoria, ésos no los olvidaría jamás.

–Aquí no pone nada –comenté, renunciando a contestar a su última pregunta–. No tienen firma.

–¿En serio? –Su voz todavía temblaba.

–Sí. –La mía, en cambio, no se alteró–. Estoy segura de que los versos son suyos.

Por fin sonrió, y no me arrepentí de haber mentido, porque nadie en el mundo necesitaba más poesía que Piedad para sufrir aquella noche.

Mis cálculos se revelaron tan exactos como sospechaba, y Piedad jamás me reprochó que la hubiera engañado, si es que, tras la reconciliación, Eugenio admitió alguna vez el fraude del poema que yo había robado para él, pero la profecía que ella había aventurado entre dientes un día tras otro, durante tantos años, terminó por cumplirse también, y aquel hombre fue de verdad su ruina, y fue la mía, hasta que no hubo nada que pudiéramos llamar nuestro.

–¡Tú...! ¡Eh, tú, niña! Espera un momento...

Jamás había escuchado aquella voz, y sin embargo todavía sueño con ella algunas noches.

Piedad me había mandado a la calle a traición, porque se había quedado sin pan rallado con los filetes rusos a medio hacer, y yo caminaba tan deprisa como podía, no tanto por miedo a encontrarme echado el cierre de aquella tiendecita de la calle Barquillo que estaba abierta hasta que se hacía de noche, como porque nada podría consolarme si me perdía el final del episodio de «El conde de Montecristo» que había tenido que dejar colgado, cuando ya se veía venir que el prisionero anciano de la barba blanca iba a revelar a Edmundo algún tremendo secreto. Por eso no me detuve, no volví la cabeza siquiera, diciéndome que una voz tan desconocida no podía referirse a mí, pero ella me alcanzó corriendo y me agarró del brazo entre jadeos, y me obligó a volverme, y vi a una vieja desgreñada, vestida de negro, que me miraba con una expresión en la que se mezclaban la mala leche y una cierta ausencia, cara de bruja quizás, cara de loca.

−¿Tú sabes que tu madre es una puta, niña?

Me quedé inmóvil, clavada en el suelo. Durante un par de segundos no respiré siquiera, y no vi nada, ni oí nada, como si estuviera encerrada en un paréntesis de irrealidad, fuera del mundo. Luego noté la presión de sus dedos, me estaba haciendo daño.

−¡Déjeme en paz! −chillé, e intenté escaparme, pero ella me sujetaba con fuerza.

−Una puta, tu madre, eso es lo que es, una maldita zorra, y una cabrona, y así se muera y te quedes sola, como se está quedando sola mi hija...

La tiré al suelo de una patada y eché a correr. Cuando llegué al ultramarinos, pedí un paquete de pan rallado como si no hubiera pasado nada. El tendero, que me conocía desde pequeña, estaba comentando con su mujer el episodio de aquella tarde, discutiendo los detalles de la fuga del conde como si ellos dos también tuvieran que escapar de la cárcel, y les pregunté si les molestaría que me quedara a ver el final sólo para hacer tiempo, porque tenía miedo de que esa mujer siguiera esperándome al volver a casa, y miré la televisión –un pequeño aparato portátil rodeado de latas de conserva por todos los lados– sin prestar atención a lo que sucedía, porque el destino de Edmundo había perdido de golpe cualquier dosis de importancia, y cuando me despedí, entre dos anuncios, sentí que era otra persona la que decía adiós, muchas gracias.

Al volver a casa, Piedad me echó una bronca por el retraso, ya sabes que me preocupo mucho si tardas, dijo, y yo no contesté nada, porque si abría la boca iba a ponerme a llorar. Lloré después, de todas formas, me encerré en el baño para llorar pero ni siquiera así se me pasó el susto, y aquella noche soñé con la voz de esa mujer, ¿tú sabes que tu madre es una puta, niña?, y me levanté todavía más asustada, masticando la rabia y la vergüenza, quemándome por dentro, y odié sobre todas las cosas a aquella vieja mala, tan cruel y miserable, pero no dije nada, a nadie, ni una palabra. Presentía que hablar sólo serviría para empeorar las cosas.

Desde el primer momento, desde que ella me deseó esa soledad que me ha acompañado durante tanto tiempo, intuí a mi pesar que estaba acertando al equivocarse, y que me estaba hablando de Piedad, no de mi madre. No conocía a la suegra de aquel amigo de la familia al que llamábamos tío Armando, pero sí a su mujer, que no consentía que la llamáramos tía María Teresa, y que a la fuerza tenía que ser hija de una señora como mis abuelas, elegante, bien educada, incapaz de abordar a una niña por la calle, pero ni siquiera ese detalle habría sido suficiente si yo no me hubiera levantado de la cama aquella noche de sábado que recordaba ya como lejanísima, porque cinco o seis años ocupaban todavía un espacio inmenso en la brevedad de mi memoria. Estaba harta de fiebre y de escozor, decidida a plantarle cara a la varicela, y me levanté para ir al baño sólo por hacer algo, escapar de las sábanas, dar dos pasos seguidos, entonces escuché el eco de una risa característica de mi madre, una carcajada tenue, breve, crujiente, que parecía ensayada, y me acerqué al salón para echar un vistazo, y les espié en silencio durante mucho tiempo, sin que ninguno de los dos me viera, ella sentada hacia dentro en el brazo del sillón que él ocupaba, ambos con un vaso lleno de whisky en la mano, ambos moviéndolo al mismo tiempo, el eco acompasado de los cubos de hielo que chocaban entre sí y una conversación susurrada que parecía el diálogo de una obra de teatro, y la mano de Armando reposaba sobre un muslo de mi madre, y ella se inclinaba de vez en cuando y le besaba en la boca con delicadeza, y sólo entonces la presión de los dedos de su amante se intensificaba, pero incluso en esos instantes daba la sensación de que no se estaban tomando aquello muy en serio... Cuando encendieron el tocadiscos me desperté, porque me había quedado dormida de pie, contra la pared, sin darme cuenta, y pude volver a la cama en secreto. Ellos bailaban con los ojos cerrados.

Mientras acumulaba débiles, voluntariosos argumentos para intentar contrarrestar la liviandad de aquella escena, repitiéndome a cada paso que tenía que ser ella, y no Piedad, la inspiradora de un odio semejante, no reparé siquiera en la indiferencia con la que contemplaba el destino de mi propia madre, tan estremecedoramente ajena a la esencia de mi vida como la ropa que me ponía por las mañanas. Ella solía decir que los niños nunca son crueles, sino sinceros, igual que el sol, y en lo que a mí respecta, al menos, tenía razón. Yo no le deseaba ningún mal, pero tampoco ningún bien especial, porque no la necesitaba para nada, y si su muerte hubiera sido necesaria para hacer feliz a Piedad, habría firmado la sentencia sin dudar. En aquella época, no podía comprender que era en el exacto centro de mi amor donde nacía la causa del odio ajeno, porque la pasión escoge cuidadosamente a sus víctimas, y sólo confiere poder a quien antes ha sido capaz de negarse a sí mismo para entregarse al otro por completo. Piedad había vivido para mí hasta arrastrarme para siempre a los dominios de su amor, y estaba a punto de arrastrar a Eugenio, porque sabía romperse, y se rompía de verdad cada vez que él la tocaba. Su sinceridad, su debilidad, la hacían tremendamente peligrosa. Mi madre, a su lado, era una inofensiva actriz de reparto perpetrando un papel que le venía grande en una amable comedia de enredo. Su astucia era incapaz de conmover a nadie, porque existen los buenos amores, y los amores malos, y los dos son hondos, pero unos con otros apenas alcanzan un porcentaje insignificante del amor que circula por el mundo, feudo indiscutible de los amores tontos y convenientes a los que aspiran la mayoría de sus habitantes, quizás porque no hay nada que temer en ellos.

No dispuse de mucho tiempo para pensar en todo esto, sin embargo, porque la situación estalló muy pronto, apenas dos meses después del ataque de aquella mujer, con la que me tropecé por segunda y última vez en el recibidor de mi propia casa, al volver del colegio, cuando Piedad ya se había marchado con Eugenio para no volver jamás.

—Así que ésta es su hija pequeña... —dijo, acercando una mano a mi cabeza.

Esquivé su caricia a tiempo con un gesto imprevisto, grosero, un torpe paso de baile, casi un salto, y encaré a mi madre, que jugueteaba nerviosamente con el picaporte como hacía siempre que una visita se prolongaba más allá de sus cálculos.

—¿Dónde está Piedad?

La mujer de Eugenio, una chica joven y muy gorda a la que había visto por el pueblo alguna vez, dejó escapar un sollozo y murmuró algo que no llegué a escuchar. Mi madre, en cambio, elevó la voz para mentir.

—Piedad ya no trabaja aquí —y detecté un rencor absurdo en sus palabras—. La he despedido esta mañana.

Corrí por el pasillo hasta la habitación que compartíamos, diciéndome que era imprescindible actuar deprisa, y registré el armario, la mesilla, la estantería de la que habían desaparecido todas sus cosas, levanté el colchón, abrí los cajones, me tiré en el suelo para mirar debajo de las camas, y aunque no sabía lo que estaba buscando, no encontré ya ninguna cosa que hubiera sido suya. Nada, excepto yo misma.

III

Veinticinco años después, el espejo del cuarto de baño me devolvía la huella familiar de dos diminutas llagas, las pequeñísimas cicatrices que vivirán para siempre sobre mi pómulo izquierdo, mientras miraba hacia dentro, repasando, uno por uno, los contornos de una herida que tampoco se cerrará jamás, como no se borran las marcas de la varicela. Desde que perdí a Piedad, la vida no había vuelto a concederme la atención precisa para ponerme a prueba, por eso me conocía muy bien, tanto por dentro como por fuera, y sin embargo, permanecí ante el espejo durante mucho tiempo, contemplando mi rostro con una extraña atención, como si ya entonces pudiera presentir el inminente desafío de un destino tan parco, tan manso, que nunca antes se había sentado frente a mí para invitarme a echar un pulso. Pero no era así. Cuando advertí que mis pies estaban perdiendo sensibilidad en el charco de agua helada, y miré el reloj, y me asusté de lo tarde que era, volví al presente de golpe, poniéndome en marcha con una energía de la que no creía disponer, y quien fregó el suelo, y vació la bañera, y ordenó las toallas, y se puso el pijama, y emprendió el recorrido de todas las noches para asegurarse de que los candados estaban echados, las luces apagadas, y la llave de paso del gas bien cerrada, era todavía la misma Berta, la mujer de antes, tremendamente fuerte, tremendamente buena, y generosa, y responsable, y seria, y eficaz, la buena hija.

Después, dando vueltas y vueltas entre las sábanas,

incapaz de dormir pero presa a la vez de una especie de insomnio productivo, necesario, muy distinto del ansia desesperada de sueño de otras noches, ordené los episodios de mi vida desde un punto de partida diferente, aquella mañana de domingo, imposible ya precisar la fecha, recordar si hacía frío o calor, reconstruir la escena exacta, los personajes, sus ropas, los colores, pero era domingo, aproximadamente treinta años antes, y yo me había levantado muy temprano para ir con Piedad a comprar los churros del desayuno, y ella había salido de casa con dos monederos distintos, como todas las semanas, y también como siempre, después de esperar turno, había pedido medio redondel de porras y dos docenas de churros por un lado, y aparte, tres porras más, y había pagado el paquete grande con un monedero, dinero de mis padres, y el paquete pequeño con otro, su propio dinero, y nos habíamos comido las tres porras sueltas por el camino, yo dos, ella solamente una, siempre lo mismo, y entonces sospeché que Piedad quizás fuera mi madre, y yo su hija verdadera, porque era ella quien pagaba las porras que mejor me sabían, la corteza dorada, caliente, que parecía deshacerse al contacto con mis labios para crujir después en cada mordisco, tan distinta de la pasta ya fría, y como desinflada, que desayunaban los demás en la mesa del comedor media hora más tarde, y del mismo monedero salían los pequeños regalos de todos los días, chicles, cromos, tebeos, caramelos Saci, o esas barras retorcidas de regaliz colorado que me gustaban tanto, ni mis padres ni mis hermanas habrían sabido decir cuáles eran mis golosinas favoritas, pero Piedad lo sabía y me las compraba con su dinero, y en algunos cuentos que me había contado pasaban cosas así, los amos, que eran ricos pero ya viejos, criaban como si fuera propio a algún hijo de unos pastores muy pobres que luego se arrepentían, o no, pero siempre se las arreglaban para ocuparse del niño aunque fuera a distancia, y tal vez mi caso no era muy distinto... Cuando mi madre entró en el comedor, me acerqué a ella y la saludé con solemnidad, buenos días, doña Carmen, dije, y todos se rieron.

Si no hubiera recuperado ese recuerdo concreto, un detalle tan aparentemente trivial, hasta nimio, en relación con el curso completo de mi existencia, en el preciso instante en que la última gota consiguió por fin desbordar el vaso, quizás mi vida no habría llegado a cambiar en nada, pero mi mente de adulta, gobernada por la lógica implacable, casi viciosa, de una matemática en paro forzoso, ya no podía detenerse, y las ideas se conectaban a una velocidad que yo siempre había supuesto malsana para razonar correctamente, y sin embargo, cada conclusión se erigía en una irreprochable premisa para nuevas conexiones, y no podía desterrar la intuición de que si me hubiera sido posible expresar mi pasado en cifras, todos los resultados serían ahora justos, exactos, coherentes entre sí. Nunca antes me había parado a pensar que mi pasión por las bañeras grandes, ese inocente reflejo de una infancia articulada en miles de atardeceres marcados por la incomodidad de los lavados por piezas –primero sentada en una especie de banco que ocupaba casi la mitad de la cubeta, empezar con una pierna, luego la otra, después de pie, dejar que Piedad me enjabonara el cuerpo y me aclarara a continuación de mala manera, impulsando hacia arriba, con la mano, el agua que apenas bordeaba la frontera de mis rodillas–, pudiera leerse en una dirección estrictamente opuesta a la que determinaba mi memoria. Esa sorpresa se convirtió en la salida de una carrera cuya meta alcancé al tomar una decisión descabellada de la que no me he arrepentido todavía.

Seguí llamando a mi madre doña Carmen durante mucho tiempo, un par de meses, quizás tres, y las sonrisas sucedieron a las carcajadas, y la indiferencia a todo lo demás, hasta que me cansé sin cosechar un solo reproche, ninguna pregunta, ningún comentario, y un buen día se me olvidó seguir, y tampoco registré señal alguna que celebrara mi vuelta a la normalidad, tal vez porque ningún miembro de mi familia llegó a ser consciente de que yo hubiera pretendido abandonarla.

Ese recuerdo se hinchaba en mi cabeza como una masa saturada de levadura, progresando imparablemente desde la sospecha hacia la certeza para crecer todavía más, hasta desbordar los límites de cualquier molde y de mi propia vida, donde cada detalle cobraba un nuevo sentido. Sólo ahora me daba cuenta de que la marcha de Piedad había logrado que todas las cosas cambiaran sin que ninguna de ellas hubiera cambiado en realidad, porque su ausencia, que abarcaba por completo el pequeño mundo de mi infancia, no había sido reemplazada por presencia alguna, y yo había seguido creciendo, había seguido viviendo, y estaba a punto de empezar a envejecer, bajo el signo de esa ausencia que tal vez era la responsable de que mi mundo de adulta nunca hubiera sido mucho mayor –y quizás menor– que el territorio donde sucedió mi niñez.

Luego, cuando sonó el despertador, salté de la cama con una energía sorprendente en alguien que regresa de una noche en blanco, y representé la ficción de una mañana como las demás sin saltarme ninguna etapa, apenas algún cigarro de más después del desayuno, pero mientras se acercaba la hora habitual de despertar a la enferma, sentí cómo las hormigas que se paseaban por mi estómago se reproducían frenéticamente para colonizar hasta la más remota de mis vísceras, y subí las escaleras muy despacio, como si cada peldaño, al contacto con mis pies, se convirtiera en un fragmento de una cuesta infinita, empinada y arisca, todos aquellos años, la desgarradora sensación de orfandad que me rompió por la mitad cuando tenía trece, la certeza de la soledad absoluta que me acompaña desde los catorce, y una triste victoria, un cuarto de baño para mí sola, una gigantesca bañera plantada en el desierto como el más insensato monumento. Al llegar al descansillo, me acerqué a la butaca que yo misma había transportado hasta allí años atrás para que mi madre descansara, cuando todavía quería atreverse a andar, y me senté en ella como si ahora fuera yo la inválida, y el tramo restante, una proeza superior a mis fuerzas. Pretendía meditar unos minutos más, repasar mi plan punto por punto, asegurarme de que no querría volver sobre mis pasos cuando ya no hubiera tiempo, ni margen para anular la decisión que estaba a punto de tomar, pero mientras todavía me creía capaz de encontrar en mi interior algunas gotas de esa pusilanimidad que a veces se confunde con la compasión, escuché un timbrazo, dos timbrazos, tres timbrazos seguidos.

Mientras afrontaba el último obstáculo, apenas catorce escalones para el fin del mundo, era ya incapaz de explicarme mi mansedumbre, la docilidad con la que había aceptado, tantos años antes, la dictadura del timbre que gobernaba mi vida, y recordaba bien las diversas etapas del proceso, el derrame cerebral que fulminó a mi padre cuando yo todavía no había acabado el bachiller, la trombosis que convirtió a mi madre en una inválida dos años antes de que lograra licenciarme en Ciencias Exactas, la naturalidad con la que mis hermanos asumieron que yo me ocuparía de cuidarla hasta el día de su muerte, la rapidez y la serenidad con las que acepté una misión cuya esencia se confundía con la de mi propio destino, y aquella frase hecha con la que me premiarían tantas veces, ¡qué buena eres, Berta!, todo eso lo recordaba, pero ya no lo comprendía y no podía disculparlo, no podía seguir encubriendo la tiranía de mi madre con la debilidad de la enferma, todos sus esfuerzos por arrancarme del mundo, por tenerme entera para ella sola, los dolores fingidos, chillidos, pesadillas y tantas lágrimas, hasta que se agotó la paciencia del último de mis amigos, y Marcos se fue, y no tuve valor para ir tras él. ¡Qué suerte has tenido, hija!, dijo ella, un maestro de escuela... ¡menudo partido!, y tendría que haber gritado, tendría que haberla amenazado, haberla pegado, pero no dije nada, ¡qué buena eres, Berta!, y él fue el único que se dio cuenta de la verdad, el único que anticipó este final para ofrecerme a cambio un desenlace nuevo, una vida dulce, días fabricados con amor y matemáticas, y yo le quería, le quería tanto que sonreía sola al dormirme, cada noche, pero no tuve valor para marcharme con él, y mi madre dejó de escupir en pañuelos sucios, y nunca volvió a mearse en las butacas del salón, la sopa ya no se le derramaba por las comisuras de los labios, los mocos ya no le colgaban de la nariz sin que se diera cuenta, me había arrebatado a Marcos, se había quedado tranquila, y recuperó de golpe el control y la cordura mientras yo empezaba a odiarla, pero el odio no era un motor suficiente para mover mis piernas, y Dios sabe que deseaba su muerte, pero ni siquiera ese deseo podía apartarme de su lado...

Cuatro, cinco, seis timbrazos se acompasaron a la lentitud de mis pasos como la más torpe música de danza, pero no corrí, me había prometido que no volvería a correr, y escuché sin apresurarme el séptimo aviso, y el octavo, mientras recordaba cuántas cosas se habían congelado antes que mi voluntad, la fe y el futuro, la alegría, la edad, toda esperanza, el amor y hasta las matemáticas. Yo amaba las matemáticas, y como cualquier converso a una fe rara, árida, sospechosa incluso por el reducido número de sus adeptos, experimentaba un placer extraordinario al reclutar nuevos fieles para mi templo de lógica y cifras, por eso me gustaba tanto enseñar, y en mi pequeña vida de enfermera perpetua no existía una emoción comparable al asombro que brillaba en los ojos de un crío cuando una luz desconocida se derramaba en su mente y me anunciaba, gritando casi, que de pronto había entendido el mecanismo de las operaciones con decimales, esas comas que a principio de curso ninguno era capaz de colocar en su sitio. Me gustaba enseñar, y preparar las clases, encontrar la manera más fácil de explicar lo más difícil, inventar yo misma los ejercicios que propondría cada mañana, y nunca utilicé un libro de texto, nunca seguí los programas diseñados por el ministerio, utilizaba mis propios métodos y procuraba no mandar a los niños con deberes a casa, pero mi clase era, invariablemente, la mejor preparada de todo el curso, a pesar de que cargaba con todos los repetidores, con todos los tarugos, con los peores estudiantes del colegio, y a todos les sacaba partido porque ninguno era capaz de agotar mi paciencia, y los niños me querían, me sonreían, me besaban, venían a verme tres y cuatro años después de haber pasado por mis manos, y a mí también me gustaba verles progresar, verles crecer, contemplarles el último día del último curso, corriendo como locos, las notas en la mano, preguntándose por dentro cómo se las arreglarían con los profesores del instituto.

Las matemáticas eran muy importantes para mí, aunque al principio me dolía saber que en la otra punta de Madrid, en un recinto similar al mío, un aula con pupitres verdes y dibujos en las paredes, a través de cuya ventana se divisaría quizás un patio soleado, con una canasta de baloncesto como la que yo contemplaba, Marcos estaría dando clase a niños muy parecidos a los que me miraban sin reprimir algún bostezo, pero eso fue sólo al principio, cuando fantaseaba con la idea de que algún día viniera a buscarme, cuando planeaba minuciosamente el día y la hora en la que iría a buscarle yo, y escogía un color, un vestido, un peinado determinado, y ensayaba para mis adentros, hola Marcos, lo diría con una voz un poco ronca, voz de insomne, de mujer de mundo, nunca he podido desprenderme de ti, ¿sabes?, y él me miraría como si hiciera meses, años, que estaba esperando esas palabras, yo sostendría aquella mirada al repetir, casi al pie de la letra, lo que decía aquella rima que Eugenio había copiado de un almanaque cuando era niña, y hablaría con frases más torpes, más pobres, pero él comprendería, porque los matemáticos no hablamos en verso... Por supuesto, nunca fui a buscar a Marcos, Marcos nunca vino a buscarme a mí, la pasión escoge cuidadosamente a sus víctimas, y yo no la merecía. A los dieciséis años recibí una postal de Eugenio, desde Barcelona. Había encontrado trabajo en la Seat, y Piedad, que iba a tener un niño, me mandaba muchos besos, pero no firmaba porque todavía no había aprendido a escribir. Cuando recordaba aquella postal, la última noticia que tuve de ellos, me armaba de valor y me resquebrajaba de miedo al mismo tiempo, y nunca me atrevería a dejar sola a mi madre, nunca fui en busca de Marcos, pero amaba las matemáticas, y hasta eso perdí.

Estaba a punto de cumplir treinta años cuando nos vinimos a vivir a Torrelodones porque mi madre decidió que el campo sería mucho más compasivo con su salud que esa horrenda ciudad que la estaba matando. Me resistí con todas mis fuerzas a aquel traslado, argumentando en vano, durante semanas enteras, que ni su estado era tan lamentable como pretendía, ni el ruido o la contaminación podían afectarla, teniendo en cuenta que jamás salía de casa, un quinto piso en una de las calles más tranquilas del centro. También hablé de mí, de los problemas que me acarrearía marcharme al campo, conseguir una plaza en el colegio de algún pueblo cercano, vivir sola con una anciana enferma en una casa aislada, dentro de una urbanización que permanecía casi desierta durante la mayor parte del año, y estar obligada a coger el coche para todo, lo repetí una y mil veces, que abandonar la ciudad sería un desastre, pero nadie me escuchó, mi madre empezó a quejarse a todas horas, se pasaba la noche en vela, decía que la despertaba el ascensor, y dejó de comer, mis hermanos me preguntaban cómo podía ser tan cruel, repetían que yo no tenía ninguna necesidad de trabajar, me rogaban que dejara de inventarme falsas excusas, y entonces dejé de luchar, pero me marché de Madrid con lágrimas en los ojos, un llanto mixto de pena y de rabia, el último asomo de vida del que podría disponer en muchos años.

Cuando abrí la puerta de su habitación, ya no podía creer que ésa hubiera sido mi vida alguna vez, porque ya no quedaba en mí rastro alguno de la buena Berta. La miré con extrañeza, incorporada en la cama, apretando el timbre con una saña impropia de una anciana enferma, y casi podía escuchar el chirrido de sus dientes, pero avancé despacio, llegué a su lado, y esperé a que se hiciera el silencio. Entonces la saludé con voz clara, firme.

—Buenos días, doña Carmen.

Busqué inmediatamente sus ojos, y no encontré en ellos dolor, ni siquiera rechazo, apenas una sombra de desconcierto, una sorpresa sagazmente controlada, y por un instante deseé con todas mis fuerzas estar equivocada, pero esperé en vano una caricia, una protesta, una simple pregunta, e insistí sólo para asegurarme de que me escuchaba, ¿qué tal, doña Carmen, cómo se encuentra hoy?, y deseaba estar equivocada, haber multiplicado por un número demasiado grande, haber restado de más, pero no quiso corregirme, se limitó a mirarme de través, con un recelo que se transformaría muy deprisa en miedo auténtico, y entonces me estremecí al comprender que era ella quien estaba en mis manos, ella quien dependía de mí desde hacía tanto tiempo, aunque las dos lleváramos media vida fingiendo lo contrario, y me pregunté cuándo habría empezado a temer que se iniciaran los acontecimientos que ahora iban a precipitarse sin remedio, y ningún propósito me parecía más duro que aprender a vivir el resto de mi vida sabiendo que había sacrificado tantos años para nada, por eso deseaba estar equivocada, y necesitaba que me hablara, que me tocara, que me reconociera, que me confirmara que todas mis sospechas eran un disparate, que jamás había renunciado a ser mi madre, que jamás me había mirado con ojos distintos de

222

los que dirigía al resto de sus hijos, que jamás había sido consciente de abandonarme en los brazos de otra mujer.

Hasta el último momento tuve esperanzas, porque al fin y al cabo habíamos vivido en la misma casa muchos años, nunca juntas, pero sí una al lado de la otra, y ella había sabido ser la madre de los otros, de Cristina, que la cubría de besos de arriba abajo una vez al mes, cuando venía a verla, de Cecilia, a la que había cedido el piso de Conde de Xiquena que tanto deseaba, el antojo tras el que yo siempre había vislumbrado la auténtica causa de nuestro traslado al campo, de Alfonso, el destinatario de las transferencias que yo cursaba religiosamente cada tres semanas, para que después de pagar las pensiones resultantes de sus dos divorcios consecutivos, consiguiera llegar con desahogo a fin de mes. Aquella mujer era la madre de todos ellos, que apenas se acordaban de llamar por teléfono los domingos, y yo la única que se comportaba como una buena hija, y sin embargo, y a pesar de todo, ella sólo sentía miedo, miedo a quedarse sola, miedo a ser traicionada, abandonada por su enfermera, por su doncella, por la hija tonta que había tenido la suerte de parir a destiempo, la hija extraña que se había atrevido a quererse a sí misma hija de una criada, sin intuir siquiera que era exactamente así como siempre la habían visto los demás, la hija mansa que todavía se resistía a creer que su madre pudiera dirigirse a ella en un tono tan duro, tan seco, tan ajeno, para envolver su pánico en una última orden, precisamente ahora que sus órdenes habían perdido cualquier valor.

—Abre la ventana, Berta. Me estoy ahogando.

Seguí haciendo las cosas despacio para convencerme de que las hacía bien, aunque la prisa me roía por dentro. Entrevisté a más de una docena de enfermeras antes de contratar a la que me pareció más idónea para sustituirme, y nos alternamos durante un par de meses, mientras yo alquilaba un piso en Madrid, y transfería todos mis ahorros –los sueldos prácticamente íntegros de los cinco años que había resistido trabajando en un colegio privado de Las Rozas, antes de abandonar del todo– a una nueva cuenta, en una sucursal de la ciudad. Arreglé todos los papeles necesarios para pedir el final de mi excedencia y optar a mi antigua plaza, y empecé a estudiar por las noches porque me di cuenta de que había perdido forma. Deseché docenas de borradores antes de redactar el texto definitivo de la carta que envié a mis hermanos, tres copias idénticas, mecanografiadas a dos espacios, mi nombre y dos apellidos en letras de molde bajo la firma, estimado señor/a, motivos familiares –de tal complejidad, que su descripción rebasaría con mucho el reducido formato de un escrito de esta naturaleza– me impiden seguir haciéndome cargo de su señora madre por más tiempo...

Tiré a la basura mi colección de olores prisioneros en tarros de cristal antes de hacer el equipaje con mucho cuidado, pero cuando el coche ya estaba cargado, y el motor en marcha, me asaltó la tentación de recorrer la casa por última vez, y registré los armarios, la mesilla, los cajones, las estanterías donde ya no vivía ninguno de mis libros, y hasta me tiré al suelo y miré debajo de la cama, para asegurarme de que, al cerrar la puerta, no dejaría allí ninguna cosa que me hubiera pertenecido antes. Nada.

Luisa Castro

Mi madre en la ventana

Luisa Castro (Foz, Lugo, 1966) ha publicado los libros de poesía *Odisea definitiva* (1984), *Los versos del eunuco* (1986, Premio Hiperión), *Baleas e baleas* (Ballenas y ballenas, 1988) y *Los hábitos del artillero* (1989, Premio Rey Juan Carlos de poesía), y dos novelas: *El somier* (1989, finalista del Premio Herralde) y *La fiebre amarilla* (1994).

A mi madre, por todos los malen-
tendidos, y a mi hijo Francesc, que
continúa nuestro lazo

Había una diferencia entre las madres y las mamás. Cuando en el colegio sor Águeda le preguntaba a Esther Alonso por su mamá, o cuando en el patio del colegio todas aquellas mujeres esperaban nuestra salida y sor Águeda le decía a Esther Alonso: «Mira, tu mamá, te espera tu mamá», yo ya sabía que entre Esther Alonso y yo había un mundo de distancia, y que entre aquellas mujeres no se encontraría nunca mi madre. Yo tenía madre, claro, pero no era una mamá. Cuando Esther Alonso decía «mi mamá...» yo la sentía un poco ridícula y muy pequeña a mi lado. Sólo escucharla me obligaba a ponerme en un lugar incómodo, a sentirme más pequeña también. Era una cuestión de lenguaje, pero me impedía ser amiga de Esther Alonso. Convivir con ella en el mismo pupitre era algo llevadero hasta que no se cruzaba por medio aquella palabra, o quizás otra como «mi papá», o tal vez «mi hermanito», todas pertenecientes a un vocabulario de una galaxia lejanísima, de esas que gusta ver en los cómics pero que uno nunca se arriesgaría a visitar.

A los hijos de papá y mamá los caracterizaba una bondad tierna y atontada y una inocencia peculiar, algo que siempre me daba un poco de pena. Y nunca dejaban de ser ellos mismos, aunque esto supusiera mantenerse al margen de muchos juegos en los que, tranquilamente, no participaban. La conformidad tenía para mí un encanto arrollador, y Esther Alonso era una niña quieta y conforme. No sé cómo nos veía Esther Alonso a las demás, aunque yo creo que no se enteraba. Esto de andarse poniendo en el lugar del otro es una debilidad de muy pocos, me parece.

Un día entré en la casa de Esther Alonso. Estaba en penumbra, pero se adivinaba una escenografía mínimamente suntuosa: lámparas, aparatos de música y tapices. Su madre estaba muy arreglada, como recién salida de la peluquería, le brillaba la cara y fumaba envuelta en una bata de casa con aves bordadas. No pareció muy perturbada por mi presencia, y eso que no me conocía. Nos hizo la merienda y luego se retiró al salón. Esther y yo jugamos con sus juguetes alegremente hasta el anochecer.

Ese día volví a casa a la hora de cenar. Pensé que llegaba tarde, pero mi madre todavía no había entrado en la cocina. Estaba apoyada en la ventana, con mi hermana, viendo cómo mi padre construía detrás de la casa un garaje para el coche. Era un garaje de madera, como la cabaña del tío Tom. La parte de atrás de nuestro edificio estaba llena de construcciones de este tipo, más o menos artesanas y provisionales. Todos los vecinos se habían apresurado a construir su propio garaje en aquel lugar que el Ayuntamiento tenía reservado para zona verde y espacio comunitario. Quizás algún día llegaría una excavadora y retiraría todos aquellos tinglados, y nadie se iba a oponer. Nosotros fuimos los últimos en montar nuestra choza, pero mi madre parecía muy satisfecha de ver a mi padre con maderas y serruchos finalmente decidido a dar aquel paso. Como estaba oscureciendo no pudimos ver la labor terminada, pero por la mañana el garaje me pareció una obra de arte. Era algo más grande que los otros, de madera nueva pintada de blanco, y tenía una contundencia arquitectónica que casi nos pareció peligrosa.

–No debería quedar tan bien –fue la única objeción de mi madre–, si fuera un poco peor no darían tantas ganas de tirarlo.

Mi padre estaba orgulloso y tranquilo.

–Nadie lo va a tirar. ¿No ves los demás? Tendrían que gastar mucho en destrozar todos los garitos. Y nadie se preocupa ya de eso, ¿por qué has de preocuparte tú?

–No sé.

Pasaron varios días sin que hubiera ningún contratiempo, y después de algunas semanas el garaje todavía seguía en pie. Hay pequeñas cosas, como ver cada mañana un garaje de madera en el mismo sitio, que parecen milagros. Por las tardes, después de salir del colegio y antes de subir a casa, mi hermana y yo íbamos directas al garaje, dejábamos los libros encima del capó del 127 y jugábamos a perseguirnos y escondernos detrás de las ruedas del coche, o montábamos una cocina de mentira sobre los hatos de leña que mi padre amontonaba escrupulosamente en el escaso metro que sobraba frente al guardabarros. Aquello no tenía nada que ver con el espacioso desván de Esther Alonso, lleno de juguetes y rincones maravillosos, pero yo no era consciente de eso, a mí el garaje me parecía una conquista espacial, un territorio ganado a los comanches, un submarino hallado en el fondo del mar y lleno de tesoros.

Cuando hubo pasado el tiempo suficiente y ya nadie temía por el derrumbe del garaje, nuestros juegos se extendieron a los territorios vecinos. Cada bodega o caseta estaba separada de la siguiente por señales que sólo los usuarios conocíamos. Ningún extraño que se internara en aquel laberinto de chabolas podía imaginar el mapa de fronteras que lo atravesaban, pero nosotros conocíamos muy bien su trazado. La colonización particular de cada vecino impuso una repartición de hecho que nunca se discutió. Las leyes de la ilegalidad son bastante más estrictas que las oficiales, y nadie puso jamás en entredicho la distribución irregular de las parcelas. Algunas eran bastante más grandes que otras; pero para eso sus dueños habían corrido el riesgo de dar el primer paso. Los más temerarios abrieron camino, eligieron mejores localizaciones y se quedaron con más terreno. Los rezagados y temerosos, como nosotros, nos conformamos con el espacio que nos había tocado, y nunca sentimos envidia ni nada parecido por las ventajas de los primeros colonos. Nuestro garaje, sin embargo, tenía una ganancia con respecto a los otros: por el lado derecho lindaba con un muro de cemento de un metro de altura, construido con todas las de la ley y que, de hecho, servía para segregar aquella floración de chabolas desordenadas de otro territorio colindante donde empezaban los terrenos otorgados por el Ayuntamiento. Esta proximidad con el cemento armado daba a nuestro garaje una consistencia y una entidad que no tenían los otros, construidos todos con materiales de desecho o prefabricados. Precisamente, uno de los juegos que más me gustaba era pasearme haciendo equilibrios por encima de aquel muro firme, rodeando el lado derecho del garaje hasta alcanzar la parte de atrás, no accesible de ninguna otra forma, y que nos servía como lugar secreto.

A Esther Alonso no la invité el primer día a jugar sobre el muro. Esperé a que fuera tan mío como el garaje. Vino una tarde de otoño que aún hacía sol, la llevé directamente a las chabolas y le indiqué, subida al muro, el lugar recóndito. Pero Esther no se quiso subir.

–Quiero la merienda –me dijo.

Yo sabía que a mi madre no le iba a gustar que llevara a nadie a jugar al garaje. Ella pensaba que cuanto menos anduviéramos por allí, mejor. Pero quise satisfacer a Esther, pues en parte le debía aquella merienda. Mientras subía las escaleras de dos en dos, ya me di cuenta de que mis relaciones con Esther Alonso empezaban a enturbiarse con el fango del compromiso y que además no me interesaba mucho la amistad de una persona que prefería un trozo de pan con chocolate a mi oferta de lugares inaccesibles. Y además estaba mi madre, que no era una mamá de esas que te reciben con batas llenas de pavos reales y que te preparan ellas mismas la merienda.

–No, no, quédate –le dije a Esther–, yo te traigo la merienda. Ahora vuelvo. En un salto llegué a casa y, ayudada de un taburete, alcancé la alacena de la cocina y cogí las provisiones.

–¿Qué haces?

Mi madre enseguida detectó mi sigilo.

–Tengo a una amiga abajo. Le llevo la merienda.

Reaccionó muy bien. No sé qué entendería por «abajo».

–No os hagáis daño –me dijo. Y se lo agradecí mucho.

Cuando volví a reunirme con Esther ya había sorpresas, y no buenas. Laura, la hija de los vecinos, se había sumado a la expedición del lugar secreto. Me puso furiosa aquella intromisión. Sin siquiera mirar a Laura, que me sonreía como una idiota, me dirigí a Esther y le entregué la merienda requerida.

–Toma. Me lo ha dado mi «mamá» –dije–, nos dice que no nos hagamos daño.

Y enseguida noté que Laura ponía una cara no de extrañeza sino de complacencia, como de estar viendo un espectáculo inusual, y sin duda debía serlo el oírme a mí hablando de mi «mamá» y del «daño». Laura también era hija de su madre, y yo misma me horroricé con aquellas palabras. El trozo de pan y chocolate dificultaba un poco mis planes de viajar a través del muro, pero me subí tentada por el reto, y detrás se subió Laura, mi vecina, mientras Esther permaneció quieta y en tierra comiendo trocitos de chocolate. Aunque no me hacía mucha gracia, yo estaba dispuesta a dejar entrar a Laura en el juego si veía que aquello animaba a Esther, pero cuando vi a mi vecina subida al muro mientras Esther se mantenía en el suelo, me sucedió algo muy raro.

–No. Tú no –le dije.

–¿Por qué yo no? –preguntó Laura, mientras mantenía el equilibrio con los brazos en cruz.

Con sólo tocarla la hubiera derribado, pero me contuve.

–Porque no. Porque no quiero y ya está. Este muro es sólo mío, y al lugar secreto viene Esther, no tú.

Esther comía trocitos de pan y parecía no oír nada. Yo la veía desde lo alto del muro sin inmutarse. Frente a mí, Laura intentaba avanzar.

–Te digo que no, vete a tu garaje –repetí–, éste es mío.

En las sienes de Laura crecían ríos, mientras se ponía pálida.

–Mentira. El muro no es tuyo –contestó, y quiso dar un paso más.

–No sigas –grité.

Y enseguida noté un mareo. Al recobrar la vista, después de un instante de ceguera, vi demasiadas cosas a la vez: Esther seguía con los pies clavados en el suelo y ahora comía trocitos de chocolate en vez de pan. Mi madre observaba la escena desde la ventana, como un tercero. Y en la ventana de la casa de Laura vi a la madre de ésta moviendo los brazos y agitándose, muy excitada y sin peinar, como si algo horrendo la hubiera despertado y hubiera acudido desde el fondo de la cama donde, según los vecinos, se pasaba el día sin que nada la arrancara de allí. Ya me di cuenta de que algo irreparable había ocurrido, algo bastante grave para que aquella mujer que nunca se dejaba ver apareciera de pronto escandalizando como una explosión. Gritaba con todas sus fuerzas, me insultaba.

–¡Te deshago, como te coja te deshago! –oí–... Y tú, Laura, sube, no te acerques a ese animal.

El animal era yo, y me aferré al muro como un gato. Laura estaba tirada en el suelo. Al parecer yo misma la había derribado, pero me resultaba todo un poco exagerado. Sólo sangraba por una rodilla, pero lloraba desconsoladamente. Su madre, desde la ventana, se desgañitaba en amenazas y yo me moría de rabia y de vergüenza mientras Esther desaparecía torpemente entre el laberinto de los garajes. Tres o cuatro cabezas se asomaron a las ventanas, llamadas por el escándalo. Aunque por un momento me sentí amenazada, porque la madre de Laura estaba de verdad excitada y fuera de sí como nunca había visto a nadie en mi vida, me tranquilizó pensar que no se atrevería a bajar y pegarme ante toda aquella gente. Mi madre, por su parte, se mantenía detrás del cristal, sin descorrer la ventana, un poco retirada de medio cuerpo hacia dentro, sin intervenir. Laura, ensoberbecida por la sangre y la razón, se fue a su casa como un león herido, con el desprecio y la grandeza de los héroes, repitiendo aquello que todavía me resuena en los oídos.

—No es tuyo, el muro no es tuyo.

Permanecí allí subida más tiempo del normal, creo, esperando no sé qué muestra de apoyo por parte de alguien, de mi madre quizás. Pero ella se retiró de la ventana, el refuerzo nunca llegó y allí me quedé sola.

Cuando subí a casa, llorando, se lo reproché.

—Deberías haberme defendido. Esa bruja no tiene ningún derecho a gritarme, yo soy una niña. Y tú ahí, sin moverte.

Creo que me puse un poco dramática por aquel primer abandono, al que luego siguieron otros que fui encajando mejor, porque siempre tenían las mismas características: yo iba metiéndome sin querer en algún lío de esos que no te dejan dormir y cuando acudía a mi madre para encontrar justificación o consuelo hallaba una mujer extraña que se lavaba las manos y que me dejaba perpleja con su imparcialidad.

—Ya ves —era como si me dijera ella—, apáñatelas.

No era indiferencia lo que me demostraba mi madre ni lo que apreciaba yo, sino algo que fue teniendo para mí un significado muy hondo y un poco estremecedor, como si aquellos abandonos de mi madre fueran nuestra verdadera complicidad, y, a la vez, la condición de mi heroicidad y de su grandeza.

Dejarse tentar por el demonio es un modo de llamar a Dios, el más piadoso, quizás. Yo sé que en cada maldad o en cada situación de riesgo siempre perseguida y provocada ando buscando la clemencia de mi madre, su apoyo incondicional, ese apoyo que sé que nunca llegará, lo que me permite despreciar profundamente a las «mamás» que justificarían la más grave abyección de sus hijos, con el desprecio hacia aquello que nunca le pertenecerá a uno, como el muro de cemento que rodeaba nuestro garaje. Yo puedo pasearme sobre esas cosas, usarlas de puente a lugares secretos e inventados, pero cualquier intento de poseerlas es el camino más recto hacia el desprecio y el ridículo. Lo mismo me ha pasado una y otra vez cuando he querido ver en mi madre a otra madre, por esta absurda tendencia que ya es vicio de ponerse en el pellejo de los otros, en el de Esther Alonso, en el de Laura Casín.

–Hasta esa señora que se pasa el día en la cama sabe defender a su hija. ¿No lo ves?

Pero mi madre no veía nada, sólo me miraba con pena y con estupefacción.

–No está bien empujar a nadie –me dijo sin alzar la voz.

–¡Tú no me vas a buscar al colegio! –repliqué.

La lista de reproches y de agravios fue larga. Recuerdo que terminé extenuada, prometiendo por mi parte que nunca más pegaría a nadie y haciéndole asegurar a mi madre que al día siguiente saldría un poco antes del trabajo y estaría esperándome en la puerta de clase. Pero la costumbre, sobre todo para un niño, es toda su libertad, y a la mañana siguiente me pasé las cuatro horas de clase en un puro nervio esperando no encontrar a mi madre a la salida y deseando que los acontecimientos del día anterior y todo lo hablado durante aquella noche no cambiara nada entre nosotras. ¡Y, al sonar la campana, le agradecí tanto no verla entre aquellas cabezas de mamás olfativas! Pude correr como cada día sola a mi casa, entretenerme a mi antojo en los escaparates, subir al

234

trote las escaleras y, sobre todo –lo que me hacía sentir tan bien–, abrir la puerta de casa yo misma con mi propia llave, un derecho y una responsabilidad que todavía no habían adquirido ninguna de mis amigas. Al meter la llave en la cerradura enseguida noté que alguien abría por dentro.

–No fui a buscarte. Así comemos antes.

Mi madre había salido un poco antes del trabajo y sonreía frente a mí.

Nunca le agradecí tanto su abandono. Y todavía puedo decir que estos descubrimientos que he ido haciendo de mi madre, este modo suyo de tomarme en serio y hasta de entregarme a la policía si hace falta, pero sin venderme por un regalo o un cariño, sigue resultándome estremecedor en el recuerdo y es como la máxima prueba de grandeza y de sentido de la verdad que ella tiene y del que yo carezco. Así como recuerdo varias escenas de tierno encubrimiento por parte de mi padre, de mi madre no recuerdo ni una sola concesión en lo que se refiere a «problemas reales o imaginarios con la justicia». Al contrario, estoy segura de que su equilibrada y fría mirada sobre los hechos le impide ni siquiera sentir el más mínimo remordimiento por no acudir en mi ayuda cada vez que me precipito hacia algún pozo.

Pero, es curioso, nunca me expliqué cómo mi madre, que tenía tan arraigada la justicia y era tan ecuánime en sus juicios morales, se mostraba en cambio tan temerosa de la justicia humana o práctica, la que podía derribarle el garaje ilegal, por ejemplo, por el que siguió temiendo hasta que se cayó de viejo. Aunque parecen dos cosas relacionadas, a mí me resultan un poco incongruentes: no veía relación entre la impecabilidad y la grandeza moral de mi madre y su miedo congénito a las leyes. Y además, una y otra actitud me parecían extremas y desproporcionadas. Observándola a ella y aun admirándola como la admiro por este sentido exagerado de la justicia, he llegado a pensar que justo, realmente justo, sólo se puede ser si se es un poco gángster. Aquello que hizo la madre de Laura y que a mí me pareció un abuso inhumano de un adulto contra un niño era realmente un acto de justicia, algo que yo quisiera para mí. Un juez es un juez; un justo es otra cosa. Y, de algún modo, sólo se llega al delito por un ansia de justicia, como yo defendiendo como mío el muro que no era mío, reivindicando mi parcela privada ante los ojos atónitos y espantados de Esther Alonso. Aquel garaje de madera nunca nos trajo más problemas que el que he contado, pero ya digo que mi madre siguió esperando cada día de la vida de aquella cabaña a que llegaran unos hombres uniformados y vinieran a meternos a todos en la cárcel, mientras que el incidente del muro se le olvidó al instante.

Se lo he recordado algún día, por oír una vez más lo que me sigue y me seguirá emocionando y escandalizando. Y ella sigue contestándome lo mismo que me contestó entonces, cuando subí a casa llorando y demudada en busca de un regazo consolador:

—No era tuyo. Aquel muro no era tuyo.

Y entonces, como queriendo contestar a una pregunta de esas que no se llegan a formular pero que quedan prendidas en el aire, «pues yo claro que soy tuya, claro que soy tu madre», recuerdo su cara mirándome con una mezcla de desconcierto e ingenuidad, como si no quisiera mentirme ni defraudarme, como si quisiera hacerme entender algo que desde muy pronto me inquietó, como si lo mejor que podía hacer por mí, más que ir a buscarme al colegio, fuera compartir conmigo la evidencia y la carga de saber que el ser yo su hija y ella mi madre era innegable, como, en el fondo, absolutamente azaroso y casual.